中国茶具收藏与投资全书

主　编　赵天理

下 卷

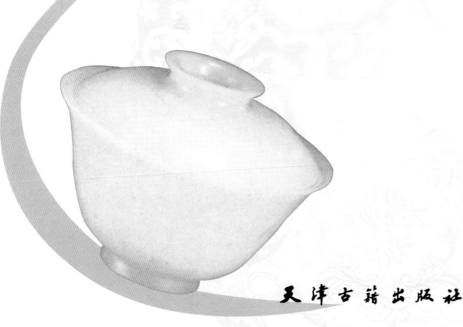

天津古籍出版社

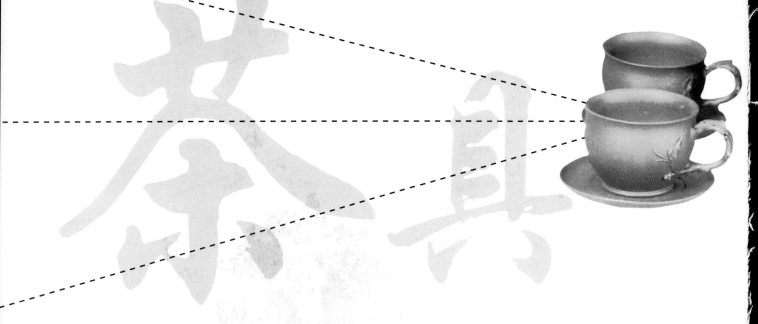

茶具

中国茶具收藏

与投资全书

第五篇　紫砂壶的收藏与投资

第一章　紫砂茶具概述

一、　紫砂陶艺

　　人类最早使用的是陶器，它是一种由泥土为材料制成的。陶器有许多种，如江苏的紫砂陶瓷、广东的石湾陶、山东的博山陶、安徽的阜阳陶等。但最负盛名的紫砂茶具是江苏宜兴鼎蜀镇的紫砂陶，它非常适合茶性，色泽丰富，是世界公认质地最好的茶具原料。从宋代开始，紫砂陶随着饮茶方法的改变，登上了茶具的领头地位，至明代大盛，清代又进一步发展。

　　目前，紫砂茶具的艺术价值远远超过了它的实用价值。紫砂壶是从煎煮茶饼的大砂罐演化而成，其色泽由土黄发展到以紫色为主，形状也从大到小。它的美，在于壶泥、壶色、壶形、壶款、壶章、题铭、绘画、书法、雕塑、篆刻等方面。

二、　紫砂陶的特性

　　宜兴陶土分布于南郊丘陵地带，种类丰富。当地一般把陶土分为白泥(灰白色粉砂质铝土质黏土)、甲泥(紫色为主的杂色粉砂质黏土)、嫩泥(是土黄、灰白色为主的杂色黏土)三大类。在

宜兴紫砂竹节提梁壶
清代
规　格：高 21.5厘米
成交价：RMB 48 400

宜兴紫砂蓝地粉彩花鸟壶
清嘉庆
规　格：高10厘米
成交价：RMB 11 000

浙北长兴的鼎甲桥、顾渚、新槐一带也有这三种泥，系同一矿脉，只是有山阳、山阴之分。

紫砂制品的色泽及肌理效果，充分显示了紫砂陶土的美感潜质。历代紫砂艺人高超的炼泥技巧达到出神入化的境地，根据作品的要求不同，炼制出的泥料也不一样。紫砂陶艺之美是任何陶瓷材料无可比拟的，朱砂泥的细腻柔滑，像婴儿肌肤；紫砂泥的栗色很像古铜，调砂泥质粒子若隐若现，星星点点灿若星辰。如采用纹泥手法可以产生大理石纹、雨花石纹和树木年轮的效果，还可加工成各种树皮褶皱。

紫砂色泽属于暖色系统，古朴沉稳，色相变化微妙，需人们慢慢寻味比较。由于矿土分布及调配方法的不同，烧成时温度的不同。因此，产品颜色也不同，古人所描述的天青、海棠红、黯肝、水碧、梨皮、朱砂紫、墨绿、葵黄、黛黑等多种色泽，种种变异，全靠艺匠的别出心裁。

茶汁因发酵由香变馊，在15℃的室温中实验，紫砂陶5天以后仍有余香，而瓷壶最多2天。茶汤色泽在紫砂陶内，无论红茶、绿茶，茶色都逐步变为红褐色或棕色，而瓷壶都变为黑褐

"心舟"款提梁紫砂壶

清代

规　格：高15.8厘米

估　价：RMB 15 000~20 000

成交价：RMB 16 500

蜂菊紫砂壶

近代

此壶用紫红泥制作，色泽细润，制作精细，体现壶艺家制壶的功力。底钤"宜兴蜀山陶业生产合作社出品"牛角印章，盖内有"凤芝"印款。壶身分十八总瓣菊花瓣，向壶身放射，似正开放的花朵。盖为花蕊，中间塑一采蜜之蜂，生态自然，刻划细致，花瓣向壶边卷曲，俯视似花，侧视成壶，十分合体。

色。这样的实验说明，紫砂陶是一种双重气孔结构的多孔性材质，气孔微细，密度高，具有较强的吸附力。在造型上，瓷壶嘴流向上，壶盖与壶身衔接宽松，紫砂壶嘴有斜度，大多采用嵌式盖，这比瓷壶有更好的条件减少黄曲霉菌流向壶内。再就是紫砂壶内壁有双重的气孔，比瓷土壶的玻璃相、结晶相少得多，这就使得紫砂陶制成的茶具，具有如下优点：

(1)造型古朴别致，气质特佳。

(2)经茶水泡、手摩挲，石英子的变化，壶会变为古玉色。

(3)严实，留得住茶的色、香、味。

(4)有双重气孔，夏天隔热不易馊，冬天不易冷，还可以边饮茶边焐手。

(5)泥色丰富，在不施釉的情况下，创作题材宽。

(6)造型采用"打身筒"与"镶身筒"方法，工具简单，一般家庭中都能随意制作。

(7)可随意与书画、篆刻结合。

(8)可与其他工艺结合，不断推陈出新。

因此，古今中外对紫砂陶壶的评价非常高，如"贵重如珩璜"，"价凝璆琳(美玉)"，"明制一壶抵中人一家产"等。

由于宜兴紫砂陶艺历史上多次被列为贡品，除了在器皿上书画装饰外，还有琢、捏、绞、堆、喷、嵌、雕、贴、镂、釉、漆、镶、包、抛光等技法，并充分吸取了瓷器的各种装饰工艺。

紫砂提梁壶

清代

规　格：高12.3厘米

估　价：RMB 6 000~8 000

成交价：RMB 6 000

紫砂加粉彩山水图执壶

清中期

规　格：高14.5厘米

估　价：RMB 18 000~22 000

成交价：RMB 35 200

宜兴紫砂茶壶

清代

规　格：高11.5厘米

长寿碧桃紫砂壶

1999年

规　格：高12厘米

估　价：RMB 100 000~120 000

成交价：RMB 110 000

由于很多装饰方法既费时，又削弱了紫砂器原有的自然质朴等美感素质，因而遭到淘汰，而文人书画家的积极参与和提倡的刻画装饰，便成为紫砂装饰的主流。这种装饰由于将文学、书法、绘画、篆刻诸艺术融入进去，从而使紫砂陶艺成为内涵深远的综合艺术作品。于是，文人们深深迷恋紫砂壶，在他们的诗文中以紫瓯、砂罂、注春等各种名字称呼它，说它"寸柄之壶，贵如金玉"、"世间茶具称为首"等。

三、　紫砂茶具的渊源与发展

紫砂陶具的原料是氧化铁含量在7.44%~8.60%的黏土、石英、云母系共生矿物，经高温(1100℃~1200℃氧化焰)烧制。成品残留石英、云母残骸、莫来石、赤铁矿、双重气孔结构等。

紫砂器具有沉香紫、海棠红、葡萄紫、葵黄、墨绿、青灰、朱砂紫、梨冻、松花、豆碧、轻超、淡墨、深紫栗等颜色，其中以紫色最为著名与普遍，故统称为紫砂。产品以茶壶为主，包括瓶、盆、杯、文房四宝、陈设品等。

紫砂器的特点是：造型优美不易变形；保持2%吸水率与2%的气孔率，内外无釉，透气而不渗水；耐冷热急变(不因温度急变而炸裂，提握抚拿不炙手，也可文火炖烧)，易洗涤、经久耐用。作为茶具，紫砂器十分适宜。

宜兴刻字提梁紫砂壶

清代

规　格：高13厘米

估　价：RMB 12 000~18 000

江苏宜兴是著名的紫砂之都。宜兴古名荆溪，唐称阳羡，宋改为宜兴。紫砂茶具的制造始于北宋而兴于明代，这与茶文化的发展进程是密不可分的。明代以炒青散茶代替了宋代的团饼茶，因而冲泡技艺也由点茶法相应改成泡茶法。紫砂壶具集雕塑、诗词、书画、金石镌刻等艺术为一体，因此备受茶人文士推崇。

紫砂壶发展早期(明正德至万历年间)。紫砂壶造型浓厚、比例协调、泥质颗粒较粗，与明式家具简洁凝重的风格

恬情紫砂壶

现代

非常相似。明代万历年间，有四大杰出的紫砂陶艺名家，他们是：董翰、赵梁、袁锡及时朋，均为一时制壶大家。在制壶风格上，董翰以文巧著称，其余三家均属古朴拙趣一类。同一时代的另一位名家李茂林(字养心)，发明了将紫砂茶壶放在匣钵(瓦囊)中烧制的办法，一直沿用至今。16世纪末至17世纪初出现了三大壶艺妙手家，他们是：时大彬(时朋之子)、其弟子李仲芳(李茂林之子)、徐友泉。时大彬初仿供春制大壶，后为适应品茶需要改制小壶。其作品"不务研媚而补雅坚栗"，传至今日已是稀世珍宝。时大彬另有四大弟子亦属制壶雅流，他们是：邵文金、邵文银、蒋时英和欧正春。同时期的重要人物还有陈用卿、陈仲美、陈子畦、惠孟臣等。惠孟臣擅长制小壶，号"孟臣罐"，最小的容量还不到70毫升。

紫砂壶发展中期(清雍正年间)，是紫砂壶艺的顶峰期，壶艺名家辈出、茗壶种类繁多、装饰手法丰富。清初制壶大家陈鸣远(陈子畦之子)，师承时大彬而善于翻新，加之技艺精湛，壶杯瓶盒、清供果子、臂搁等无所不制。传世作品有束柴三友壶、梅干壶、葵花八瓣壶等，是紫砂壶自然型期的代表人物。另有邵茂林、邵旭茂等也很有名。

紫砂瓜棱紫砂壶

民国

规　格：宽16厘米

成交价：RMB 660

紫砂竹简茶具

现代

规　格：壶高10.5厘米　宽12.8 厘米

此壶用紫泥制作，色泽深紫古穆。壶身呈扁长方形，正反两面分别由五片竹简构成，两侧各有三片竹简，中间束丝带蝴蝶结，为古朴的造型平添生趣。壶身由沈汉生镌刻遒劲俊逸的汉隶书《孙子兵法》"擒庞涓"片段，其古朴高雅，尽蕴银雀山汉墓竹简风韵。

谦廉君子紫砂壶

现代

规　格：高8厘米　宽16厘米

壶身以竹根、竹鞭为塑造对象，用本山绿泥制作，色泽娇黄而清秀。器身扁而浑厚，设一小嘴，短直刚劲，后置双环似牛眼作把手，右侧开一小孔可注水，并以散点作斑纹，类似湘妃斑竹，形色变化，奇趣无穷。底钤"阳羡吴鸣手陶"印记，盖内有"吴鸣"印，把梢下有"吴"字小章。

梅韵紫砂壶

现代

鹧鸪紫砂壶

现代

规　格：高12厘米　宽11厘米

盖印"景舟"小章。壶底以刻铭详记顾氏陪伴妻子赴上海就医，在沪抟作数把鹧鸪壶，并将自己的感受铭刻于壶底，以艺记事，留存于世。

紫砂壶发展晚期(清中叶至清末)，是紫砂壶与书法、绘画、诗词、篆刻相结合的时期。清嘉庆年间，西泠八大家之一、著名的书法家、画家、篆刻家、诗人陈鸿寿(字子恭，号曼生，浙江钱塘人)，任溧阳、宜兴县令，设计了"曼生壶十八式"，请制陶工杨彭年兄妹制作，由陈曼生及其幕僚江听香、高爽泉、查梅史、郭频迎等题铭并携刻。这些壶精心构思、整体设计，铭具切茶又切壶形，将紫砂茶壶壶艺推到了一个新的高度。其中，邵大亨、黄玉鳞就是道光、咸丰年间的两大紫砂壶艺的代表人物。

20世纪紫砂壶艺在继承与发扬传统的基础上，又有所创新。这一时期代表人物主要是裴石民、朱可心、顾景舟、蒋蓉等。其中裴石民善制文房清供，水盂、杯盘、炉鼎。朱可心善于从自然生活中吸收素材，其代表作"圆松竹梅壶"一改传统树段造型，以一节竹筒为壶体、竹枝为壶把，壶身缀以竹叶，壶盖饰以松梅浮雕。蒋蓉擅长制作各类仿真文房雅玩，用五彩紫砂泥制成做工精细、形象逼真的花生、核桃、瓜子、乌菱、荸荠、板栗等。另有荷花壶、荸荠壶、莲藕酒具等。顾景舟承前启后、熔古铸今，一改清初以来紫砂壶堆砌浮华之气，作品追求线条流畅、比例协调、造型简洁。被尊称为"一代宗师"。其代表作"提璧茶壶"(壶名)造型雄浑，制作挺括，其盖面如一枚古雅玉璧，壶嘴与提梁自然舒展，给人以恬静大气之感。

紫砂瓢壶

清代

规　格：高9.9厘米　口径8厘米

壶呈紫褐色，砂质较粗，壶身似瓢，造型特殊。短流，嵌盖坡顶，顶端挖二孔为钮，壶把为三叉式。从盖顶至壶底饰一十字形粗线，浑然一体。整器简而不陋，平而不俗，且以壶身的铭文书法最引人注目，铭文曰："石瓢。光绪己卯仲冬之吉，横云铭、伯年书、香畦刻、东石制。益寿先生清玩。"

四、紫砂壶

紫砂壶是所有的壶具中最受人们欢迎的一种，它以其精美的制造工艺、优良的宜茶性以及雅俗共赏的传统风格而备受世人的青睐。

1. 紫砂壶的优点

中华民族喜爱茶，所谓"开门七件事：柴、米、油、盐、酱、醋、茶"，茶之深入百姓生活由此可见一斑。近数十年来，泡茶之风在我国十分盛行，所用茶具的材质也琳琅满目，甚为可观，诸如陶壶、瓷壶、铁壶、锡壶、铝壶、石壶、玉壶等等，其中又以"主流派"的宜兴紫砂茶壶最受到世人的欢迎。

2. 古今称颂的宜茶性

宜兴紫砂壶的"宜茶性"是自古就受到肯定的。特别是到了明代中期以后，文人雅士用紫砂壶饮茶更蔚为风尚。明季李渔曾曰："茗注(泡茶之器)莫妙于砂，壶之精者，又莫过于阳羡(宜兴古称)"，又曰："壶必言宜兴陶，较茶(评茶)必用宜壶"。

到了清初周高起所著的《阳羡茗壶系》更明确地指出："近百年中，壶黜银锡及闽豫瓷，而尚宜兴陶"，可见早在明代，世人便已公认宜兴紫砂陶壶是最理想的茶具了。

现在，人们泡茶使用的茶具仍以陶壶为最普遍，瓷壶、石壶为次。常见的陶壶又包括了紫砂壶(紫砂、朱泥、

紫砂雕梅桩壶
民国
规　格：宽17厘米
成交价：RMB 550

紫砂堆塑桃花圆壶
现代

紫砂悠然壶
现代

段泥、绿泥……）、手拉坯壶(如汕头壶)及灌浆壶等等，不一而足。在这么多种材质中，或许有超过七成以上的饮茶人会认同：紫砂壶的宜茶性应为众家之冠，而历来不少科学试验亦支持此一说法。然而茶事毕竟不是冰冷理性的科学实验，它还牵涉到许多复杂的心理因素与感情投射。所以时至今日，我们只能说紫砂壶的确具有优良的宜茶性，至于它是否为"第一名"，或许也就不那么重要了。

3. 紫砂壶的魅力

真正令爱茶人士感兴趣的是：紫砂壶到底具备什么样的魅力，能够自明迄今，不论朝代更迭或是社会变异，它都能在这个嗜茶的民族中独领风骚？

关于这个问题，不妨试着从实用层面与艺术层面来加以解释一番，一般说来，紫砂壶的实用功能大致具有下列几项优点：

"宜兴茗壶，以粗砂制之，正取砂无土气耳"又"茶壶以砂者为上，盖既不夺香又无熟汤气，故用以泡茶不失原味，色、香、味皆蕴"，上述为古人总结的心得，换言之，以紫砂壶来泡茶，只要充分掌握茶性与水温，即可泡出"聚香含淑"、"香不涣散"的好茶，比起其他材质茶壶，其茶味愈发醇郁芳香。

紫砂壶"注茶越宿，暑月不馊"，茶汁不易霉馊变质，且不易起腻苔，所以清洗容易，不费周章。值得一提的是，此处所指的"暑月不馊"，即夏日隔夜亦不馊，但若将"暑月"强解为"数月"则显然夸大不实。

石榴紫砂壶

现代

规　格：高10.5厘米　宽15.8厘米

壶身塑成一石榴果，以花蕊组成流。嵌盖结构上部石榴皮残裂露出石榴籽。一侧出枝为把，底部三足由叶、花果组成。盖上攀枝结小石榴为钮，并附小枝叶陪衬，交相辉映。整器色形巧妙组合，犹如一幅立体的瓜果中国画。底钤"蒋蓉"印款，盖内有"蒋蓉"小章，把梢下有"蒋"、"蓉"二字微型章。

汉铎紫砂壶

现代

紫砂陶是一种介于陶和瓷之间，属于半烧结的精细具器，具有持殊的双气孔结构，透气性极佳且不渗漏。由于这种特性，所以它能吸收茶汁，壶经久用，自然能于内壁累积出"茶锈(茶山)"，此时即使不置茶叶，单以沸水冲入也能泡出淡淡的茶香来。(也由此可知"一壶不事二茶"的原因)。

紫砂茶具使用越久，壶身光泽越加光润，而且据《阳羡茗壶系》载："壶经久用，涤拭日加，自发暗然之光，入手可鉴"，此即指常用干布摩拭，更显气韵温润，这也正是国人热衷的"养壶"。

紫砂器具有耐热性能，冷热急变性佳，寒天腊月即使注入沸水，也不易因温度突变而胀裂。

紫砂砂质传热缓慢，执用时较不易烫手，且耐烹烧，可放在温火上炖煮，所以用紫砂制成的砂锅也受到人们的欢迎。此外，紫砂因传热慢，所以保温亦较持久，此点对于喜喝半发酵茶的人而言，更是一项难得的特点。

紫砂土具有良好的可塑性及延展性，配合以特殊且精湛的制壶技艺，所以成品口盖严密，缝隙极少，减少了霉菌的进入，相对延长了茶汤变质的时间，有益人体健康。

"寿珍"制紫砂壶
民国
规　格：高14厘米
成交价：RMB 1 430

绿釉瓜楞紫砂壶
清代
规　格：高13.5厘米　宽22厘米
此壶造型作六瓣瓜楞式，形制典雅端庄，后人定其为"芝硕壶"。全器外施湖绿釉，称满彩釉。并以深绿色地作纹饰彩绘，别具一种紫砂情趣。

福在眼前紫砂壶

现代

规　格：高10厘米　宽16.8厘米

此壶用黑料紫砂泥制作，色泽黝黑如墨，光彩照人。壶身六方式，取大门环造壶，鼓腹云脚如意，六方高帽如意，环中套环，意象生趣。六方流，扁方把，稳重端庄。壶身饰一串铜钱和一蝙蝠，点中题意，构成"福在眼前"的吉语，使形式和内容达到完美的统一。

仿古紫砂壶

清同治

规　格：高10.5厘米　口径5.8厘米

估　价：RMB 15 000~20 000

牡丹紫砂壶

现代

规　格：高10.5厘米　宽19.3厘米

此壶用紫砂泥制作，表面粉饰大红泥、墨绿泥、蛋黄泥等色泥，此壶以大红牡丹花朵为壶身，花蕊侧瓣开出嵌盖，严密规整，天衣无缝。茎顶生花，茎上生叶，茎下接干，分瓣花杆新枝作壶把。"三叉九顶"的牡丹嫩叶成壶嘴。以黄色彩蝶作钮，倍增情趣。底钤"蒋蓉"印款，盖内有"蒋蓉"小章。把梢下有"蒋"、"蓉"二字微型章。

观音赐茶的传说

相传清朝乾隆年间，福建安溪西坪乡松林头村有一个茶农，姓魏名荫，此人忠厚老实，一心扑在种茶上，是一位远近闻名的制茶行家。他家里供奉着一尊观音菩萨，每天早晚都要泡上三杯清茶，礼敬座前，事佛十分虔诚。有一天晚上，魏荫梦见观音菩萨金身出现在屋后的山崖上，他双手合十，上山崖跪拜，就在那石崖之中发现了一株奇异的茶树，树有一人多高，粗枝叶茂，喷发出一股诱人的兰花香。第二天清晨，他顺着昨日梦中的道路，爬上屋后的石崖，果然在石崖缝隙中，有一株茶树迎风而立。他上前察看，这株茶树枝繁叶茂，香味扑鼻。魏荫想，莫非是观音显灵，赐我这株大茶树，真是天助。于是，魏荫便在这株大茶树上利用压条法培植新苗，种植在自家的茶园中。以后他就用这株茶的叶片制成乌龙茶，色绿，重实如铁，香味特异，比其他茶叶更为浓烈。一开始，人们便根据茶的外形，顺口称它为"重如铁"。后来，得知了魏荫的奇遇，知是观音托梦而来，便改名为"铁观音"。

收藏知识

三百童子戏花灯紫砂壶

现代

蓝彩印包紫砂壶

清代

规 格：高10.5厘米　宽12厘米

此壶泥色呈紫褐，砂质纯正，为紫砂兴盛期的产物。壶身上方，肩圆微敛，状似方印包袱，钮为包袱布结形，口盖严合，壶面施蓝釉花卉图案，技法属当时的上乘之作。其制技特点在壶流与把手上，流出水为独孔，流形呈直角折方，把手直角折方中稍加变化，富有古拙感。壶底钤阳文篆书"壶痴"二字方印。

4. 紫砂壶的艺术性

以上所提到的几点，都是其他陶瓷或金属茶具所无法具备的。另外，在艺术层次上，紫砂茶具也具有不少优点：

紫砂泥色多彩，且多不上釉，透过历代艺人的巧手妙思，便能变幻出种种缤纷斑斓的色泽、纹饰来，使它更具有艺术性。

紫砂泥的可塑性强，虽不利于灌浆成型，但其成型技法变化万千，不像手拉坯等轮转成型法，只限于同心圆范围，所以紫砂器在造型上的品种之多，堪称举世第一。

紫砂茶具通过"茶"与文人雅士结缘，并进而吸引到许多画家、诗人在壶身题诗、作画，寓情写意，此举使得紫砂器的艺术性与人文性，得到进一步提升。

随着实用价值与艺术价值的兼备，自然也提高了紫砂壶的经济价值，使得陶手能更致力于创新。由于上述的心理、物理、艺术、文化、经济等因素作为基础，宜兴紫砂茶具数百年来能受到人们的喜爱与重视，可说是其由有之。

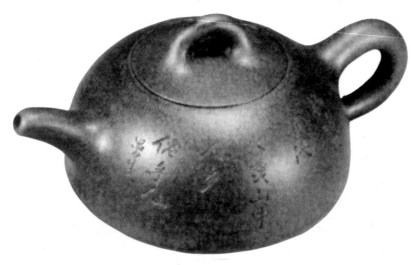

宜兴刻字紫砂茶壶

清代

规 格：高 6.4厘米

成交价：RMB 15 400

第二章 紫砂壶的发展历史

一、紫砂壶的起源

据古籍记载，紫砂壶原料五色土的发现就和古埃及人发明玻璃的传说一样离奇。"相传壶土所出，有异僧经行村落，日呼曰：'卖富贵土！'人群嗤之。僧曰：'贵不欲买，买富何如？'因引村叟指山中产土之穴，及去，发之果备五色，烂若披锦。"从此以后，宜兴就开始烧造最早的紫砂壶。

此说虽不足信，但紫砂泥确乎得宜兴山川之灵气，得天独厚的特种陶土矿产，亦为我国罕见的天然资源。皖之寿县、鲁之博山、粤之潮邑，均有出产类似的泥料，而一究其成分，则判若霄壤。色泽的美茂朴雅，质地的经久耐用，当推宜陶为独步。宜兴紫砂壶，始于北宋，盛于明清，辉煌于当今，饮誉海内外。古代吃茶用紫砂壶的文献记载，最早见于宋人诗句："喜共紫瓯吟且酌，羡君潇洒有余清。"(欧阳修)"小石冷泉留早味，紫泥新品泛春华。"(梅尧臣)"松风竹炉，提壶相呼。"(苏东坡)传世器物有宜兴蠡墅羊角山古窑址出土的北宋中期紫砂器：平盖龙头条把壶、高颈大方壶和平盖提梁壶。文献记载和考古发掘的实物，互相参证，尤足可贵。到了元代，紫砂壶的烧造工艺有了一定的发展，开始在紫砂壶上镌刻铭文。据蔡司沾著《霁园丛话》记载："余于白下(今南京)获一紫砂罐(即壶)，有'且吃茶，清隐'草书五字，知为孙高士遗物，每以泡茶，古雅绝伦。"孙高士即孙道明，在元代生活了七十年。他博学好古，藏书万卷，筑映雪斋，延接四方名士，以校阅为乐，故人称高士，其居名为"且吃茶处"。《先进录》云："俗称壶为罐也"。

根据文献记载和考古发现，紫砂壶由日用陶器脱颖而出，并与日用陶分道扬镳，走上艺术化发展道路，约在明代正德年间(1506～1521年)，也即由金沙寺僧、供春所开创。

明代万历年间(1573～1626年)，宜兴紫砂工艺盛极一时，空前繁荣。许多良师名匠，毕智穷工，制成了很多别出心裁的产品。如茗壶、酒器、花盆、香熏、文玩等。其时，紫砂陶即由日用陶进入到工艺美术品的境地，从而形成了一个独立的工艺

仁人紫砂壶

现代

规　格：高8.3厘米　宽13.6厘米

此壶用黑料泥制作，色泽黝黑发亮。壶上由许亦华镌刻："一点浩然气，千里快哉风。乙卯之夏扁翁刻。"另一面刻山水画，用刀流畅、古拙，充满天趣。底钤"顾建芳制"印款，盖内有"建芳"小章，把梢下有"顾"字小圆章。

圆腹朱泥壶

明代

规　格：高7.6厘米　口径2.9厘米

此壶泥色朱红润泽，壶身溜肩圆腹，壶底向内平凹，整器挺秀自然，闲雅有致，法度精微，是乾隆时期的紫砂茗壶佳作。

铜茶壶

现代

规　格：壶高7.4厘米　口径6.6厘米　杯高4.3厘米　宽9.5厘米

紫砂提梁壶

明代

规　格：高17.9厘米

神农尝百草的传说

神农氏，上古时传说中的炎帝，农业、医药发明人。神话中说他是牛头人身。

汉代《神农本草经》记载："神农尝百草，日遇七十二毒，得茶而解之。"民间流传着神农尝百草的传说：神农有一个水晶般透明的肚子，吃下什么东西，人们都可以从他的胃肠里看得清清楚楚。那时候的人，吃东西都是生吞活剥的，因此经常闹病。神农为了解除人们的疾苦，就把看到的植物都尝试一遍，看看这些植物在肚子里的变化，判断哪些无毒哪些有毒。当他尝到一种开白花的常绿树嫩叶时，就在肚子里从上到下，从下到上，到处流动洗涤，好似在肚子里检查什么，于是他就把这种绿叶称为"查"。以后人们又把"查"叫成"茶"。神农长年累月地跋山涉水，尝试百草，每天都得中毒几次，全靠茶来解救。但是最后一次，神农来不及吃茶叶，还是被毒草毒死了。据说，那时候他见到一种开着黄色小花的小草，那花萼在一张一合地动着，他感到好奇，就把叶子放在嘴里慢慢咀嚼。一会儿，他感到肚子很难受，还没来得及吃茶叶，肚肠就一节一节地断开了，原来是中了断肠草的毒。后人为了纪念农业和医学发明者的的功绩，就世代传颂着神农尝百草的故事。

收藏知识

体系，以独特的民族风格和艺术特色，步入中国特种工艺美术行列。当时文人饮茶，已远非停留在解渴提神的初级阶段，而是上升为一种文化活动，讲究的是"趣"，追求的是"两腋习习清风生"的境界。紫砂茗壶也开始从日用品转变为艺术品。

紫砂茗壶的迅速勃兴是由于明代饮茶方式由烹煮饼茶改为冲泡散茶。泡茶需用新式茶具茶壶。紫砂的特性可使茶的色、香、味得到最佳发挥；紫砂泥的可塑性强，最适合制作茶壶，且造型可随心所欲地变化，因此逐渐被精于茶理的文人士大夫所关注，并有人参与设计制作，赋予它文人艺术品的性质。

明代是紫砂壶的兴旺成熟期，名手辈出，代有精品。自供春树瘿壶问世后，万历年间继起的名家有董翰、赵梁、元畅、时朋，称为"四大家"。四大家以后有李养心，号茂林，也是万历时名艺人，他善于制作小圆壶，朴素带艳，世称"名玩"。李的最大贡献是开创"壶乃另作瓦缶囊闭入陶穴"的匣钵装烧法。明代壶艺成就最高的是时朋之子时大彬，他的作品，淳朴古雅，有"砂粗、质古、肌理匀"的特点，标志着紫砂壶艺的成熟。时大彬的弟子李仲芳、徐友泉也是明代的制壶名手，而且都行大，有"壶家妙手称三大"的说法，名载壶史。

紫砂茗壶的风格和式样，明代大都崇尚古朴，金沙寺僧和供春所制各式都是如此。明万历年间，涌现出的制壶名家为数很多，且各人都有自己的风格，所谓大彬典重，价拟璆琳；仲美雕镂，巧穷毫发；仲芳骨胜而秀出刀镌；正春肉好而工疑刻画；君用美妍离奇，尚彼浑成；用卿朴直醇饬，丰满自然。各家的面目，各自不同。

明末清初间，壶艺风格日益倾向于精工巧妍一途，以杰出的陈鸣远为代表。但风格高古的也有闵鲁生、陈和之、沈子澈、项不损、华凤翔等辈，而浑朴与精致兼备的更有惠孟臣、惠逸公等，百花竞秀，维持着一个灿烂的局面。

清嘉庆年间的溧阳县宰、书法篆刻家陈曼生对紫砂壶艺术化的发展升华起到了重要作用。由陈曼生设计、制壶艺人杨彭

紫砂提梁壶
明代
规　格：高20.5厘米　宽9.4厘米

盅形紫砂壶
明代
规　格：高11厘米　口径4.3厘米

雨花石紫砂壶

现代

规　格：高8厘米　宽15.8厘米

此壶形似卵石，椭圆形状，简练至及。嵌盖严合，直流包口，圆圈把，钮为壶身缩小的微型，比例谐调得体。壶身嵌泥似雨花石纹，由紫、黑、朱红等色。粗细相间，过渡自然，器身与钮身重合变化，其味无穷。此壶以团泥为本，间以彩泥，简洁分明。底钤"蒋建明"方印，盖内有"建民"小章。

年等人制作的紫砂茗壶，世称"曼生壶"，开创了紫砂壶艺与诗词、书法、绘画、篆刻相结合的新路。

明清时期的紫砂茗壶，不但式样变化多端，壶形大小也很不相同。大体上说，明万历之前，好尚大壶；万历之后，壶形日渐缩小，时大彬早期专仿供春，多作大壶，从他游娄东和诸名士交接之后，才改作小壶。以后徐友泉诸家，更向这一方面推进，从"盈尺兮丰隆"转向"径寸而平抵"一途。明末清初更有陈子畦、惠孟臣等都是"小壶精妙"、"各擅胜场"的名手。壶形由大而小，不得不承认决定于士大夫吃茶趣味和习惯的改变。

历代紫砂艺人都有在壶底、壶把下方等处落名款的习惯，明代多为用竹刀阴刻，以欧体楷书刻于壶底；明清之际，刻字与印章并用；从清代康熙以后，刻字减少，除壶底用印外，或于

盖内、把下盖小章。

紫砂壶的制作成型都是由手工操作的，以泥片镶接法成型，也有模制的，造型变化多样，不受时代局限。制坯的工具，在明代还极简单。金沙寺僧制壶只用一把竹刀，所谓"削竹为刃，刳山土为之。"到了清初，制壶工具即增加到数十种，主要有椎、碓、需、钗以及圭形、笏形、贝形、月形和蝎形等工具。后来制壶工具又增加了搭子、拍子、转盘、直尺、矩车、线梗、明针等；而制造工具的原料也有竹、木、角、石和金属等等。各种各样的工具，适应于各种不同的用途，所谓"意至器生，因穷得变。"紫砂茗壶式样繁多，所谓"方非一式，圆不一相。"按其造型分类，大体可分为几何形体造型(俗称光货)、自然形体造型(俗称花货)和筋纹器造型三类。"光货"的造型讲究立面线条和平面形态的变化，圆器要求"圆、稳、匀、正"，方器要求线面挺括，轮廓分明。"花货"的造型是用提炼取舍的艺术手法，从自然形态(如松竹梅)变化来的造型。筋纹器造型要求线条纹理清晰，制作精神，口盖准缝紧密。但是，它们的成型过程基本相同，用泥片镶接和打身筒法。

半月瓦当紫砂壶

现代

紫砂茗壶的刻画装饰，是由制壶艺人署名落款而逐渐发展起来的一种装饰形式，最早见于元代壶铭"且吃茶，清隐"五字草书。至明代，供春、时大彬等名家所制紫砂壶都铭刻着作者的姓名和制作年代，一般都刻于壶的底部或壶盖的子口或壶把下方等不显眼处。后来，由于茶事兴盛和紫砂壶的社会影响，追求书法艺术和铭刻趣味，不仅是制壶艺人自己落款题词刻于壶上，而且还吸引了不少精于品赏的书画家、金石家及文人墨客，他们也纷纷介入，出样订制和挥毫饰壶。同时，刻画装饰的部位也都移至壶的肩、腹、盖面等显眼处了。铭文内容有诗句，也有仿商周青铜器铭文。绘画有梅、兰、竹、菊、山水、人物等。其中最有影响的是"曼生壶"，集诗书画印于一体，且多有精品。清末，由于紫砂壶艺生产规模不断扩大，刻画装饰逐渐形成了一支专业队伍，正式列为紫砂工艺流程的一道工序，相沿至今。

紫砂茗壶一般不上釉，以其本色特性称著。清乾隆至嘉庆年间，一度在紫砂壶上施炉均釉，用珐琅、粉彩绘图案和在壶表包锡、镶玉、描金，还有用本色泥在紫褐色壶上绘画的泥绘工艺。除了各式茗壶，紫砂还用来制作茶杯、花盆、文具、挂屏或陶塑、杂件等。

从明代万历到清末(1573～1911年)，紫砂壶艺术化发展取得了很高的成就，在国内盛行了三百多年。在国外，它也大为艺术界、收藏界所珍赏，几乎是"茗壶奔走天下半"了。

从20世纪50年代开始到90年代，紫砂壶的造型和装饰工艺踏进了历史发展的最繁荣时期，呈现着满园春色，万紫千红。几种类型的紫砂壶(几何形体、自然形体、筋纹器及水平壶和茶器等)都有生产，色彩包括白泥、红泥、紫泥、青蓝泥、墨绿泥、梨皮泥；纹饰运用了浅浮雕、泥绘、印花、贴花、书画镌刻及

紫砂刻竹茗壶

清代

规　格：高10厘米

估　价：RMB 10 000～15 000

成交价：RMB 22 000

平盖莲子紫砂壶

现代

秋水紫砂壶

清代

此器壶身状橄榄，美人肩，细长颈，高虚盖，口线盖板线，君臣相配，圆珠钮的脚明显。壶嘴略长，壶下腹较尖削，包底足。壶底刻"秋水"二字，乃以尖锐竹刀半写半刻而成，笔意缠绵流畅，殊堪细品，甚富风情，这种将壶式名称作为唯一款文，亦见诸于"君德"、"思亭"等式。

蚕桑紫砂壶

清代

规　格：高6.7厘米　宽17厘米

此壶材质为白泥调幼砂，砂质润泽。壶体造型扁圆折腹，上部雕镂成蚕虫啃食桑叶的自然情景。腹下部保留素面，壶盖作成一片带有双枣的桑叶，上卧一条全蚕食小桑叶作盖钮。多条蚕虫蠕动于布满大小孔洞、仰覆不一的桑叶间。底有"陈鸣远制"四字篆书方印。

画珐琅彩紫砂盖碗

清康熙

规　格：高9.1厘米　口径5.3厘米

碗竖折口，深腹，圈足外撇。盖呈浅碗形，圈形纽。胎为紫砂胎。通体以各色珐琅绘大朵盛开的牡丹、山茶、月季、野菊等，盖面亦绘满各式花卉，底内黄料彩书"康熙御用"四字楷书款。

金银丝镶嵌等工艺。现代的紫砂壶艺术以朱可心、顾景舟、蒋蓉为代表。著名的艺人还有任淦庭、吴云根、裴石民、王寅春、高海庚等。随着现代工艺的发展，新一代富有开拓精神的陶艺师正在茁壮成长，他们在继承传统制壶技艺的基础上，借鉴古今名师制壶的优秀成果，在用泥色调、壶具结构、制作技术及造型装饰等方面，取得了可喜的成绩，新秀辈出，传、承、创欣欣向荣。目前正在努力探求单纯、简朴、概括的造型风格，以充分显示紫砂泥料固有的色泽及肌理效果，展现出百品竞艳的浓厚时代气息，把紫砂壶造型艺术推向一个新的阶段。

紫砂壶造型艺术的演变与发展，不仅体现了中国制陶业日新月异的面貌，而且显示着新一代陶艺师和制壶艺人那种丰富的想像力，以及在艺术上勇于探索追求的新风尚。

现在，紫砂壶远销世界五十多个国家和地区，先后参加过七十多次国际性博览会，并获得多项奖状和金质奖章，为古老的中华文化增添了新的光彩。

二、紫砂壶的发展历史

北宋中期到明代正德年间的500多年间，无数陶工艺人为紫砂壶的发展做出了贡献。

在元至明代前期的500多年间，紫砂器为何默默无闻并缺乏记载呢？大致上有三方面的原因。一是紫砂器在宋代才显露头角，产品也多为民间粗货，虽然有少数文人对它发生兴趣，但并未得到士大夫阶层的普遍赏识。二是北宋时期文人雅士的嗜茶之风虽已流行，但当时饮用的是一种半发酵的膏饼茶，茶具以大口小底的盏类为主。饮茶时将碾碎的茶膏末放置在盏中，用沸水点注，以茶汤表面能浮起一层白沫者为佳。故茶具中亦以黑釉的兔毫盏和鹧鸪等为最上等，而无釉又较粗糙的早期紫砂器，只能作为煮水或煮茶之用。三是在南宋初年的宋金战争中，宜兴地区是战场之一，陶业生产也受到了影响；到了元代和明代前期，又由于"匠户制"的束缚，使手工业生产受到很大摧残。因此，包括紫砂器在内的宜兴陶业未能得到应有的发展。

1.紫砂壶

茶，浇灌着华夏古国数千年的历史文化，饮茶是中国人的传统生活习惯。当你在辛勤劳动之后，坐下来稍作休息时，茶将是你的良伴。喝茶既能止渴，又能消释疲劳，所谓"清茶一杯，元气百倍。"伏案工作的人，常用茶来振奋精神，帮助思考。吃了油腻的食物，喝点茶，则可以帮助消化。经常饮茶，对身体健康也很有益处。茶还用于祀祖、婚聘、奉客等礼仪中。可见茶与人的生活有着多么密切的关系，它深深地交融在中国人的血脉情怀之间。

茶的古体字本写作"荼"，最初是一种草药，称做"瑞草"、"灵草"。《品茶要录》中有"周书记荼苦，春秋书齐荼，汉志书荼陵"的记载。汉以前，茶主要作药用。据说"神农尝百草，日中七十二毒，得荼始解。"《神农食经》说："苦荼久服，令人悦志。"东汉名医华佗所著的《食论》中有"苦荼久饮，可以益思"的论述。唐代陈藏器在《本草拾遗》中说得更加清楚："止渴除役，贵哉茶也……茶为万病之药。"明代的大医学家李时珍的《本草纲目》也认为茶"饮之使人益思、少卧、轻身、明目。"用现代科学方法进行分析，证实茶不仅能提神醒脑，生津止渴，还有解毒、杀菌、收敛等药物功能。茶叶中含有许多对人体有益

宜兴紫砂胎画珐琅四季花卉盖碗

清代

规　格：碗带盖高8.3厘米　碗高5.7厘米　口径11.3厘米　足径4.6厘米

天乐辟邪紫砂壶

现代

规　格：高14.6厘米　宽14.2厘米

此壶用紫泥加本山绿泥成团山泥，并添加适度氧化物，呈青铜器色，质地古茂沉朴，适宜制作钟鼎香炉式造型作壶，壶身圆中寓方，三足鼎立。高颈、直嘴，兽形圈把，高弦纹盖。以钟鼎炉式造壶，以回纹、云纹等点缀装饰，底钤"房玉兰制"印款，盖内有"玉兰"小章，把梢下有"房"字小圆章。

宜兴紫砂描金诗文壶

清代

规　格：高10厘米

成交价：RMB 24 200

紫砂钟形方壶

现代

周打铁茶的由来

周打铁茶产于江西丰城荣塘乡，品质优异。关于周打铁茶名称有一番来历。相传清代时，丰城荣塘乡有个秀才，名叫周打铁，因屡考不中，便隐居山中，与妻子耕种茶园度日，当时正值乾隆皇帝下江南，乾隆打扮成布商微服出访。一日周秀才上山采茶，有两个布商来到他家讨水喝，周妻忙泡茶接客，客人喝了茶赞不绝口，兴奋之余提笔在纸上留下隐语，辞谢而去。周秀才回到家里时，其妻忙拿出纸来，只见上面写着："秋后请送四斤上等茶到京市棉布庄。"但未留下姓名。春去夏至，夏尽秋来，周秀才按语意送茶进京，一路上晓行夜宿，风雨兼程，很快到达京城。一日天高云淡，阳光和煦，只见前面车马仪仗，原来是乾隆离宫外出，周秀才拦路询问，侍卫接过纸条、茶叶交与乾隆，乾隆大喜，知是自己下江南时亲笔所题，因深感下江南时他家进茶之情，意欲留下秀才，周秀才执意回家种茶。后乾隆下旨，赐周打铁种的茶为"周打铁茶"，并定为贡品。从此周打铁茶名扬四方。

的物质，如茶素、茶单宁、芳香油以及其他多种维生素等等。茶素是茶叶的成分，具有强心利尿和刺激大脑皮质兴奋，促进新陈代谢的作用。茶单宁则决定茶汤色、香、味的主要成分，不但能够帮助人体增加对维生素C的储存，吸收和同化的能力，而且具有杀菌作用。在中国民间的药方中，就有用浓茶汤治疗细菌性痢疾的。实验证明，饮茶还能减少放射性物质的危害，在人体消化器官中如有1%～2%的茶单宁，便可以把放射性元素(锶90)的30%-40%由粪尿中排出体外。茶叶中的芳香油，使人闻到了有爽快感，它具有溶解脂肪的能力，有助于对肉食品的消化，所以在以肉食为主的少数民族更是"宁可一日无油盐，不可一日无茶。"至于茶叶所含其他一些维生素，对于增进身体健康也有不同的作用。

　　中国茶叶，品种繁多。如果以制作方法来划分，有发酵过的红茶，半发酵的乌龙茶，不发酵的绿茶，未经揉捻而保持嫩芽的白茶，蒸软后压成砖形或其他形状的压制茶，以及用茉莉、珠兰，玫瑰等香花窨制的花薰茶六大类。这些茶又因茶种、产地和制法不同而有无数的名称和品种。如西湖龙井、太湖碧螺春、黄山毛峰、云南滇红、广东英德红茶、福建乌龙茶、台湾阿里山茶和南京雨花茶等等。一般地说，近热带的人喜欢绿茶，近寒带的人喜欢红茶，广东、福建人和华侨喜欢乌龙茶，边疆

紫砂茶叶罐

清代

规　格：高13厘米　　口径6.5厘米　　底径9厘米

瓜娄紫砂壶

清代

规　格：高7.7厘米　　口径3.7厘米

此壶把梢印"韵石"，底印"林园"。壶身铭："生于棚，可以羹。制为壶，饮者卢。帔翁铭。"壶身筋纹清晰，铭刻书法秀逸，尤其底款印章"林园"二字，金石韵味醇厚，铭、书、印，堪称壶之三绝。

中国茶具 收藏与投资全书

少数民族爱喝浓烈的砖茶，而北京、四川人则特别爱好花茶。

2.阳羡茶文化

宜兴，是中国最享有盛名的古茶区之一。秦统一中国后，滇、蜀一带的茶叶种植沿长江逐渐向中下游推广。翻阅史书，发现早在汉朝便有"阳羡买茶"和汉王到茗岭"课堂艺茶"的记载，表明宜兴早在2000多年前已开始招收学童，传授茶叶生产技术了。到了三国孙吴时，所产"国山苑茶"，名传江南。苑茶是茶的一种名称，古代茶名有五：茶、槚、蔎茶、茗、荈。《枕谭·古传注》中有"初采为茶，晚采为茗，再老为荈"的说法，而今则统称为茶。据《宜兴县志》记载：阳羡"有名山一百三十六"。"离墨山(按即国山，三国时孙皓在善卷洞立国山碑而易名)在县西南五十里……山顶产佳茗，芳香冠他种"。山顶佳茗就是云雾茶。到了唐代，连皇帝也喜欢宜兴名茶，规定每年要宜兴进贡茶叶。唐上元年间(760年～762年)，陆羽在《茶经》专著中证实阳羡茶山产茶，"芬芳冠他境"。而阳羡茶是早于"建茶"南茶北贡的名贵贡品，故有阳羡唐贡茶的美称。阳羡茶在历代文人笔下是极负盛誉的。隐居茗岭的唐代诗人卢仝曾在《谢孟谏议寄新茶诗》中写道："闻道新年入山里，蛰虫惊动春风起。天子须尝阳羡茶，百草不敢先开花。"曾在宜兴居住的唐代诗人杜牧在《题茶山》诗中也写下了"山实东南秀，茶称瑞草冠"。

宜兴紫砂竹形提梁壶

清代

规　格：高15厘米

估　价：HK$ 15 000～20 000

成交价：HK$ 37 760

紫砂刻山水纹罐

民国

规　格：腹径11厘米

估　价：RMB 3 000～3 500

成交价：RMB 6 050

芒果紫砂壶

近代

规　格：高5厘米

估　价：RMB 60 000～80 000

成交价：RMB 93 500

提梁答欢紫砂壶

明末清初

规　格：高12厘米　口径7.1厘米

此壶泥色紫红，暗透光泽，似有饱经沧桑的
流传。造型别致，圆底，鼓腹，敛口，给人
一种虚杯若谷之感。鼓腹上两道筋文，有着
开阔的动势。提梁作牛舌形，弧度高启，空
旷舒展，提梁到壶嘴的曲线过渡自然，没有
僵硬痕迹，与高起的提梁连成一个整体，壶
身铭："答欢当酒。庚戌西庐。"壶底印款为
"共之"，盖印为"陈制"。

莲子紫砂壶

清道光

规　格：壶高7.5厘米

估　价：RMB 30 000~50 000

六瓣圆囊紫砂壶

现代

仙人掌茶

　　李白在《答族侄僧中孚赠玉泉山仙人掌茶并序》中胜赞"仙人掌茶"，此诗作于天宝中，李白因在长安遭权贵谗毁，抱负不得施展，于天宝三载春"赐金还山"，离开长安。后在金陵与族侄僧人中孚相遇，蒙其赠诗与仙人掌茶，李白以此诗为谢，生动描写了仙人掌茶的独特之处。序中载：其水边处处有茗草罗生，枝叶如碧玉……而此茗清香滑熟，异于他者。所以能还童振枯，扶人寿也。余游金陵，见宗侄僧中孚，示余茶数十片。拳然重叠，其状如手，号为仙人掌茶。"该诗前四句写景，以衬序文。后八句写茶，茶生于石中，玉泉长流"根柯洒芳泽，采服润肌骨"的生长环境培养了上乘的品质。诗中载："曝成仙人掌"一句说明此茶是晒青茶。最后八句写情，以抒其情。

收藏知识

泉嫩黄金涌，芽香石壁栽"的名句，赞赏阳羡名茶。《新唐书·地理志》中说：当时"常州晋陵群土贡紫笋茶"，同时又说，茶以阳羡张公洞附近产品为最。李郢写的《茶山焙贡歌》称颂阳羡唐贡茶是"蒸之馥馥香胜梅"。现在宜兴湖的唐贡山即因唐时产茶入贡而得名。今其村名唐贡里，山农多艺茶，小峰垒垒，慨称之茶山。

　　据查考，阳羡茶正式列入贡茶在唐肃宗年间(757~762年)，是由陆羽推荐而开始的。明代学者周高起在《洞山茶系》中写道："唐，李栖筠守常州日，山僧进阳羡茶，陆羽品为芳香冠世产，可供上方，遂置茶舍于罨画溪，去湖一里许，岁贡万两。"到唐武宗年间(841~846年)，贡茶数量增加到1.84万斤。

　　唐元和初年曾任苏州刺史的白居易有《夜闻贾常州崔湖州茶山境会想羡欢宴》诗，吟颂的是阳羡太华山区的篆岭、啄木岭，唐时有"境会亭"，每逢贡茶时节，常州、湖州二州太守集会于此。

　　陆羽为了研究茶，曾到宜兴南山种茶、采茶、制茶，在山区住了很长时间，积累了丰富的实践经验，为他撰写《茶经》取得了第一手材料。唐代诗人皇甫冉《送陆鸿渐南山采茶》诗写道："千峰待过客，香茗复丛生。采摘知深处，烟霞羡独行。幽期山寺远，野饭石泉清。寂寞燃灯夜，相思磬一声。"这首诗生动而又形象地描绘了陆羽在阳羡南山实地考察茶的情景。陆羽在《茶经》中所说的"阳崖阴林，紫者上，绿者次，笋者上，芽者次"，就是阳羡紫笋茶的出典。根据陆羽的说法，最嫩的茶芽，芽未展，形似笋色近紫，称"紫笋"；一叶一芽者为"旗芽"；一芽二叶者为"雀舌"。唐皇对贡茶是十分讲究的，规定凡贡茶都要"紫笋"，每年过了春分，官府就把茶农赶到山里去选采刚刚

宜兴紫砂（延年）半瓦当形壶

清代

规　格：高16.2厘米

估　价：HK$ 60 000~80 000

成交价：HK$ 59 000

脱鳞吐芽的幼嫩的茶芽，所谓"动致千金费，日使万姓贫。"清明前，还正春寒料峭，"阴岭芽未吐"，这时找紫笋茶真比找金子都难。要到那高高的山岭去找"云雾茶"，要到向阳的悬崖去采早发茶，连夜蒸青后炒制压成饼茶。唐皇还专派茶吏太监到阳羡设立茶舍、贡茶院，专管督茶、品尝和鉴定。当时，皇帝规定，阳羡茶分五批进贡。第一批紫笋茶限清明前通过驿道陆运到长安。地方官必须快马日夜兼程送往京城，赶上朝廷祭祀宗庙的清明宴，即李郢《茶山贡焙歌》中所描写的，"十日皇程路四千，到时须及清明宴"，这就是当时的所谓"急程茶"。唐朝京城长安，距宜兴有4000多华里，"急程茶"要用快马每日夜行400里的速度飞送京城。阳羡茶的名贵可想而知。

据古籍所载，茶原是中国川西的野生植物，西汉时传入江南。当时北方人不懂得饮茶，他们到南方来，南方人以茶款待，哪里想到，北方来客却不识礼遇，竟暗自叫苦不迭，认为茶不好喝。当时南北饮习非常不同，原因是茶喜湿气候，故多沿江

而生。后来，隋炀皇帝下扬州，开凿运河，打开了南北交通之门，饮茶的风习才逐渐传入北方。隋唐初期，战事频繁。佛道学说慢慢兴起，一些僧侣道士修身炼功，常借茶提神。他们细饮、品味，很懂得如何用茶。据说，一些好茶都是当时的僧侣发现的。此后饮茶在中国广泛流行，到唐代，饮茶已成为遍及中国各地的风尚，茶且被誉为"国饮"。

古人饮茶，最初是将茶的青叶煎煮，其味浓涩，需加食盐、香料、薄荷、枣子等各种调味品中和。唐、宋以饮粉茶为主，元

竹魂壶
现代

金钟水平壶
清代
此壶底署"金钟"二字款，盖内钤"水平"木质楷书方章，容量在160毫升左右的小壶均称为"水平壶"。此壶款式来自乾隆早期朱泥矮瓮式壶，鼓腹，底敛口收似陶瓮，上有虚压盖相吻，曲嘴下唇稚气，圈把，壶胎泥色红艳，壶内有明显打身筒手痕，修饰平整光润，工手纯熟，烧制得宜。

紫砂双竹提梁壶

清代

规　格：高16厘米

此壶材质为紫砂，色泽赤褚，紫中泛黄，珠粒隐现，质地坚结。以竹子为题材，通身雕作竹形。腹部堆雕竹枝纹一圈束腰，壶流与盖钮也都塑作竹形，捏塑成三节竹枝为流，提梁把竹枝处理得既挺劲又柔韧，构思别出匠心，不失为紫砂壶艺的精品。

代以后才普遍用茶叶。在饮茶方法上，有所谓"饮"和"品"之说。"饮"在现代人常称之为喝，主要是解渴提神；而"品"的意境深，包括鉴别优劣，欣赏品味，所以要细啜慢饮。宋代还流行一种"斗茶"，又称"茗战"，连皇帝也乐于此事，宋徽宗曾著书加以记述。无论是饮还是品，都要有好的水来煎煮。用泉水煮的茶，味醇、形美、色翠。古人认为煮茶的水，以"山水上，江水中，井水下。"在唐代，宜兴的金沙泉也成为贡茶时必须同时上贡的煎茶良泉。据说，当时金沙泉是以陶都特产的紫砂水瓶(古称雅壶)为容器，由水路专程运往京城长安。

金沙泉又称玉女泉，在宜兴湖㳇金沙寺向北张公洞附近的玉女潭。唐代文学家独孤及有《题玉女泉》诗："碧玉徒强名，冰壶难此德。惟当夕照心，可并潆瀹色。"这首诗也证实金沙泉原名玉女泉。古时金沙泉周围有较多山岭，有茂密的林木，山林下面有透水性质好的砂岩层，蓄有较多的地下水，金沙泉四季不绝，泉水就是从这难溶的石英岩中渗透过来的，因此清澈见底，矿物质很少，氯化物含量也很少，形成了甘美的泉水。用金沙泉泡的阳羡茶，汤清、色浓、茶香、回味甜。明代学者周高起在他的《洞山岕茶系》中形容阳羡茶、泉时说："淡黄不绿，叶茎淡白而厚，制成梗绝少：入汤色柔白如玉露，味甘，芳香藏味中，空濛深水，啜之，愈密，致在有无之外。"可见品质之佳。

有了好的茶叶、好的泉水，还得有好的茶具。一套精致的茶具用来配合色、香、味三绝的名茶，确实可以收到相得益彰

佛手紫砂壶

现代

规　格：高9.2厘米　宽15厘米

此壶用紫泥制作，卧式瓜身，流以佛指拥抱，树桩作把，附以枝叶，平庇带盖浑然一体。把上枝叶攀于壶盖，塑以一小佛手作钮，可谓大中见小。把下展两小枝，以叶卷曲呈壶脚托起全壶，生气盎然。底钤"吴同芬"篆文小方章，盖内有"吴"、"同芬"两小章，把梢下有"吴"字小章。

的效果。唐代推崇越窑，即浙江青瓷茶具。之后，江苏宜兴的紫砂壶就异军突起，成为在各种名瓷之外别树一帜的茶具。宋代大诗人苏轼谪居宜兴蜀山讲学时，非常讲究饮茶，有所谓"饮茶三绝"的美称，即茶美、水美、壶美，惟宜兴三者兼备。

据说，苏轼讲究饮茶有三个很高的要求：茶壶一定要是紫砂提梁壶(即今"东坡壶")；茶叶一定要是阳羡唐贡茶；烹茶的水一定要是金沙泉。金沙泉醇厚甘美，传说同样一担水要比其他河水重两斤。所以，苏东坡经常派书僮从蜀山到金沙寺去挑水。日子一久，书僮苦于往返劳顿，从半路的鼎山就取水回去。可是鼎山的水烹的茶，苏东坡一尝即能分辨出来。他为了要饮到用金沙泉烹的茶，就想出一个法子：事先和金沙寺老和尚商量好，备了两道不同颜色的竹制桃符，一交老和尚，一交小书僮，并关照小书僮去金沙寺取水，必须同老和尚调换桃符。这样，小书僮没法偷懒了。这事在《宜兴县志》上也有记载。苏东坡在一篇《调水符》的诗序中记述此事非常详细，他写道："爱玉女洞中水，既置两瓶，恐后复取为使者见给，因破竹为契，使金沙寺僧藏其一，以为往来之信，戏谓之调水符。"其诗曰："欺漫久成俗，闹市有弃糯。谁知南山下，取水亦置符。古人辨淄渑，皎若鹤与凫。吾今既谢此，但视符有无。常恐汲水人，智出符之余。多防竟无及，弃置为长吁。"这种竹制的桃符，和今天开水店里使用的上面烫有火烙印的竹制水筹相似，据说今天

松段紫砂壶

清代

规　格：高10.5厘米　口径8厘米

壶嘴与把手均以老松枝塑成，质朴古雅，挺秀有神，形象逼真；壶盖紧密无间，盖呈不规则形，有年轮效果。

风转葵紫砂壶

现代

调砂汲直紫砂壶

清代

规　格：高17.3厘米　口径8.3厘米

此壶泥色赤褐，调桂花砂。直筒形壶身，短流，矮颈，截盖，桥形钮，垂耳把手。壶底有行书刻款"时大彬制"四字，壶盖内有阳文楷书"方制"两字印款。

蒙顶仙茶的传说

相传很久以前，有位老和尚得了重病，久治不愈，有一次和尚遇到一位老翁，老翁告诉他，蒙山山顶上有茶树，可在春分前后日候于一旁，一旦春雷鸣响，马上用手采摘，只能采三天。三日之中，如果采到一两，用本地水煎服，便能祛除任何宿疾；若服二两，一辈子消灾祛病；服三两，可以脱胎换骨；服四两，就可以成仙了。

老和尚闻听此言，便到山顶造了一间屋，虔诚地等待时机。结果在春雷初发之时，采到一两多，煎成汤，没想到刚喝了一半，病就好了。过了些时候，老和尚到城里办事，熟人看见了他，无不感诧异，老和尚居然返老还童了，面目看上去像三四十岁的人，眉发乌青。后来，他到青城山去访道，不知所终。此后，蒙顶茶消灾祛病，有返老还童之功的消息不胫而走，广为流传，这就是蒙顶仙茶的由来。

收藏知识

"马上封侯"紫砂壶

清代

规　格：高12厘米

估　价：RMB 30 000~40 000

成交价：RMB 31 900

陶竹紫砂壶

现代

紫砂东陵瓜壶

清代

规　格：高10.5厘米　口径3.3厘米

此壶砂质湿润，团山泥胎，色近橘红。构思巧妙，制品新颖。以瓜形为壶身，瓜蒂为壶盖，瓜蔓为壶把，瓜叶盘旋为壶嘴，壶面上所刻铭文："仿得东陵式，盛来雪乳香。"并钤"陈鸣远"阳文篆书方印。

的水筹就是当年桃符的化身，传为佳话。

唐宋前系煎煮茶汁，茶壶为金属制器较多，且以"金银为优"。后因冲泡方法风行，茶壶主要采用陶瓷制品，并与煮水的壶分开使用。

紫砂壶不仅具有造型简练大方、色彩淳朴古雅的特色，而且还有特殊的功能，泡茶不走味，贮茶不变色，盛署不易馊。加之使用的年代越久，器身色泽就越发光润古雅，泡出来的茶也越醇郁芳馨，甚至空壶里注入的沸水都会有一股清淡的香味。

根据科学分析，紫砂壶确有保味的功能。它能吸收茶汁，耐寒耐热。紫砂陶是介于陶和瓷之间的属半烧结精细陶器，表里都不施釉。它既有一定的机械强度，又有一定气孔率；盛茶既不会渗漏，又有良好的透气性。总括起来有五大特点：第一，紫砂陶是从砂锤炼出来的陶，既不夺香又无熟汤气，故用以泡茶不失原味，色香味皆蕴。第二，砂质茶壶能吸收茶汁，增积"茶锈"，所以空壶里注入沸水也有茶香。第三，便于洗涤。日久不用，难免异味，但内积茶锈无需除去，可用开水烫泡两三遍，浸没在冷水中，然后取出，泡茶原味不变。第四，冷热急变性好。寒冬腊月，注入沸水，不因温度急变而胀裂；而砂质传热慢，提握抚拿不会炙手。第五，紫砂陶质耐烧，冬天置于高温火炉炖茶，壶也不易爆裂。海外有人称紫砂壶为"无毒餐具"，经常使用它，会延年益寿。这就是古今中外嗜茶者特别喜爱紫砂壶的奥秘。

仿宜兴贴花紫砂壶

清代

规　格：高15.5厘米　宽7.1厘米

此壶有一种高爽感，但洋气仍然十足。壶呈铁栗色，流口金亮黄色，形成鲜明对比。其壶流分三级，靠近壶腹处是兽头状，口中又吐出一半身小兽首，小兽首上包金片，兽口又衔一壶嘴。

猴茶的故事

　　很久以前，雁荡山猿猴成群，山中猎户设法捕捉猿猴卖给茶农，茶农就驯养猿猴，称为猴奴。有的茶农驯有猴奴几十只。每逢采茶时节，主人就带上猴奴上山，猴子喜欢模仿人的动作，主人将布袋挂在头颈上，猴奴也乱七八糟地套上，主人登绝壁，猴奴也紧跟其后，主人采茶，猴奴也采，主人把茶放入布袋里，猴奴也模仿。久而久之，猴奴训练有素，便可独立采茶。即使茶树高耸入云，长于悬崖绝壁，人所不能去处，猴奴都可以轻易地攀登采摘，换取主人赏赐的食物，于是这种茶便称为"猴茶"。

天青泥棱形紫砂壶

现代

第三章　紫砂壶的造型工艺

明代杰出的科学家宋应星在他的巨著《天工开物·陶埏》里，已有对陶瓷工艺的论述，并将制造工艺分为：采土、澄泥、缸器制坯、印器制坯、圆形制坯、汶水、过料、打圈绘画、过锈、装匣、入窑、烘窑等12个不同工艺过程。到了清代，唐英撰《陶冶图说》则把当时的陶瓷生产工艺过程分得更细，并归纳为12个项目。这些都是历代陶人的经验总结。关于宜兴紫砂壶的造型工艺，明末的《阳羡茗壶系》和清初的《阳羡名陶录》两部专著中，均有简要记载。紫砂壶的制坯方法，明代即有模制和手捏两种，而名家出品，又往往以手工捏制成型为多。相传金沙寺僧创作紫砂壶的时候，就是采用捏塑的方法。他把一团泥捏成球形，再把这泥球的内部挖空，作成壶身，即所谓"捏筑为胎，规而圆之，剚使中空。"他的门徒供春则"斫木为模"，也就是说，供春采取了模制的方法。当然，用同一个木模制成的紫砂壶，不可能塑成多种多样的款式。因此，供春以后的一些制壶名家又改用了手工捏制的方法。但无论模制或手制，都是先做成器身，次则挖足，开面，然后附加柄、嘴、盖等附件，最后才做修坯工作。这种工序的过程，在周容的《宜兴瓷器壶记》里有很好的说明。他说：成器有一定的工序，"先腹……次面与足，足面先后以制之丰约定。足约则先面，足丰则先

鼓暖紫砂壶

近代

规　格：高10.3厘米　宽11.2厘米

此壶外形似鼓，双层结构，既能盛茶，亦可暖酒，故又名暖酒壶。外层筒面一侧刻隶书"晚来天欲雪，能饮一杯无"。署款"老德昌出品"。另一侧刻花枝与飞鸟，有阳文"任"字小圆印，为著名陶刻家任淦庭所作。

光明年提梁紫砂壶

现代

南瓜紫砂壶

现代

估　价：RMB 40 000~60 000

足。……为壶，先天，次开颈，次冒、次耳、次嘴……体成，于是侵者楚之，骄者抑之，顺者抚之，限者趁之，避者剔之，孺者推之，肥者割之，内外等。"所有这些工序完成之后，把壶坯放在阴暗的地方去阴干。等到坯体十分干燥，才能装入匣钵进窑烘烤。如果不用匣钵或匣钵不封严，就会沾染窑渣，或发生"欠裂射油之患"。

纵观紫砂壶史，制坯的工具，在明代还极简单。金沙寺僧制壶只用一柄竹刀，所谓"削竹如刃，刓山土为之"，并"圆而规之"，即开始使用最早的"规车"。供春制壶承金沙寺僧旧法，而且"斫木为模"，发明了新的工具。以后，经过不断的改进和创造，到了明末清初，制壶工具已发展到数十种，主要有椎、碓、孺、钗以及圭形、笏形、贝形、月形和蝎形等工具。这种种工具的形式和用途，在周容的《宜兴瓷壶记》里也有详细的说明。其中最常用的一种工具是所谓"孺"，是用金属制成的修坯工具。关于孺的式样和用途，周容说："用孺，长视笔，阔视莲，次减者二，廉首齐尾。廉用割，用莲，用剔。……壶事此独勤。"除了这些工具以外，当然还有最基本的工具——陶轮。万历《宜兴县志》陈遴玮的序文中说："囷轮既斫，土埴为樽"，这就是当时使用陶轮拉坯和修坯的证明。从简单的工具发展为多种多样的工具，从竹制的工具发展到角制、木制、石制和金属制的工具，这是当时宜兴陶艺家的重大成就。现代制坯工具又增加了木搭子、木拍子、木转盘、直尺、规车、矩车、鳑鲏刀、尖刀、明针、竹范等等。

供春紫砂壶
明代

各种各样的工具，适应于各种不同的用途，所谓"意至器生，因穷得变，不能为名"。

紫砂壶是宜兴特产的一种天然细陶土经过精选，精练、精制成型，然后在1000多度的高温中烧成的。紫砂壶的生产，从陶土做坯到产品烧成，要经过选料、炼泥、制坯、成型、书画雕刻和入窑烧炼等工序，其中以成型为主要工艺过程。紫砂壶的制作成型都是由手工操作的。由于紫砂泥对温度和湿度非常敏感，在缺乏经验的人手里，三把两捏，不是焕散，就是硬化，

茗笠紫砂壶
现代

掌握控制的分寸需要熟练的技术和丰富的经验。

制坯成型时，首先要把捶炼黏熟的紫砂泥料再捶成泥条，打成泥片，然后根据作品的大小，切成各种规格，顺序操作。紫砂壶成型的顺序是：先做成壶身，按上底口，然后再接上壶颈、壶嘴、壶鋬，另制壶盖等附件。制作时，运用丰富的经验，熟练的技巧，不同的工具，务使器形浑朴、线条流畅。待坯件阴干后，再进行浮雕装饰或贴画加工。一天干不完可放入缸内，上覆厚棉袋，第二天继续加工修理，直至轮廓端正时止。整个操作，均以手工进行。其中装饰过程与做坯造型同样是决定产品艺术性的关键。在创作过程中，必须事先寻找素材和选择泥料，色彩的配合，也要经过作者的周密思考，这样才能生动地表现景物。

简简单单的一块紫砂泥，经过制陶艺人的一双手，就会变成形形色色的美妙用具。明明是茶壶和茶杯，可是外表却像牡丹、莲花、竹节、松段；壶面的装饰，还有形似松鼠葡萄或白鹤苍松，鲤鱼云龙的艺术变形，殊型诡制，形态各异。

手工成型工艺的关键，在于壶坯表面的"精加工"工艺。所谓精加工，就是用明针、竹范等专用工具，对壶坯表面进行精细的刮平，精确的修整，使壶体器形结构更加严谨，轮廓线条更加明显。这工序可把紫砂壶做到"脱手则光能照面，出冶则资比凝铜"的工艺效果，它具有把泥料、成型、烧成三者有机结合在一起的作用，使壶体表面虽不施釉而富有光泽，虽有一定气孔率而不渗漏的特点。科学研究证明：经过"精加工"的

报春紫砂壶

现代

估 价：RMB 50 000~70 000

紫砂壶坯烧成后，壶面能形成致密的烧结层，在光学显微镜下观察，紫砂泥试样中石英、黏土等单一矿物与团粒之间呈现链状气孔，而团粒内部又呈现微细气孔。就是这种双重气孔结构，赋予紫砂壶的质地和优异的实用功能。

紫砂壶造型丰富，式样繁多，规格齐全。历代紫砂壶造型式样的来源，可以归纳为以下几个方面：1.仿古代铜器——彝、鼎、尊、爵的造型。2.仿古代陶器——彩陶，瓠、瓿的造型以及秦砖、汉瓦纹样。3.仿古代器物——秦权、玉器、钟、鼓等造型。4.仿瓜果、花木形象或加工变形造型，用浮雕、半浮雕

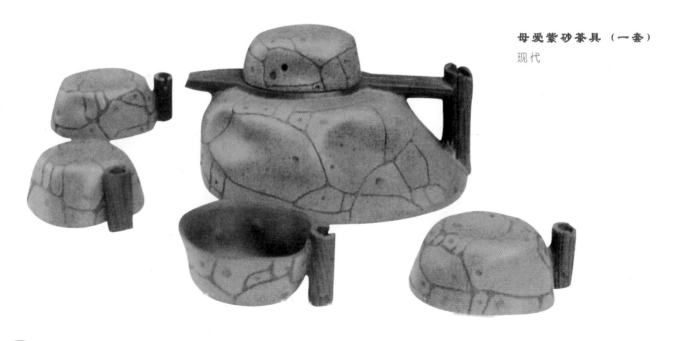

母爱紫砂茶具（一套）

现代

汤婆紫砂壶

清乾隆

估　价：RMB 280 000～340 000

逸仙壶

现代

规　格：高11厘米　宽16厘米

此壶取材于中国民俗吉祥的宝葫芦形状，寓子孙绵延，幸福兴旺的象征。壶身用团泥制作，色泽脂润古穆，壶身与盖浑然一体，呈葫芦样。三弯流与壶身暗接，环把向上倾斜呈倒把，重心稳健，藤蔓作钮，配置完美。

宋代斗茶之风

　　北宋大儒范仲淹《和章岷从事斗茶歌》云："北苑将斯献天子，林下雄豪先斗美。鼎磨云外首先铜，瓶携江上中泠水。黄金碾畔绿尘飞，紫玉瓯心雪涛起。斗茶味兮轻醍醐，斗茶香兮薄兰芷。其间品第胡可欺，十目视而十手指。胜若登仙不可攀，输同降将无穷耻。"这首诗中把斗茶的原因和比赛的情形都描述得十分清楚，特别是最后两句"胜若登仙不可攀"、"输同降将无穷耻"把斗赢者的得意神态和斗败者的羞赧之状写得入木三分，由此可见当时的人对斗茶的着迷程度了。

　　所谓"上有所好，下必有甚焉！"饮茶既为朝廷所提倡，全国产量迅速增加，民间饮茶之风也比唐代更盛，于是斗茶由从制茶者间走入卖茶者当中。宋人刘松年所画的《茗园赌市图》便是描写市井小民斗茶的情形。图中有老人、妇人、儿童，也有挑夫、贩夫。斗茶者携有全套的器具，一边品尝一边自豪地炫耀自己的茶品。

印包紫砂壶

现代

吉祥鸟紫砂壶

现代

规　格：高10.5厘米　宽16.8厘米

此壶器身以变形的圆雕构成鸟形茗壶。壶身圆浑、饱满光润，壶流塑作鸟首，形神兼备但又不失实用功能。底钤"史国富制"印款，盖内有"史"、"国富"方圆小章。

嵌贝紫砂壶

现代

的手法装饰应用，如：莲、荷、桃、柿、葡萄、松、竹、梅等。

5.仿实用器物借形改装的造型，如：玉笠壶、柱楚壶、斗分壶等。6.各种几何图案形造型，包括各式圆器、方器以及菱花、葵式等筋纹器。

紫砂壶的造型类别，可分为几何形体造型、自然形体造型、筋纹器造型及水平壶和茶器造型四类。

一、紫砂壶的成型工艺

我们简单介绍在壶类中具有代表性的掇球壶的成型过程和"打身筒"、"镶身筒"成型法的操作程序。

（一）掇球壶的成型过程。

掇球壶是由三个大小比例相称的球状坯体累叠成型，再装上嘴和錾而成，因此壶身、壶盖、的子都成球状。式样古雅纯朴，精致美观，相传已有四五百年之历史，它是光货类茶壶中富有代表性的一种。其成型工序如下：

（1）打泥片、泥条。先配好尺寸，用木搭子打好泥料，再分别打成七块圆形泥片和一条泥条，厚薄必须均匀一致，再按照规定尺寸用规车划成所需要的泥片。如底片(即壶底，直径8厘米)、满片(即壶颈口片,直径7.8厘米)、假底(即壶底脚,直径8厘米)、口准片(即壶口线片,直径7.2厘米)、盖板片和盖虚片(即壶盖线片,直径约7.2厘米)、颈箍片(即壶颈,直径7厘米)、围片(围壶身筒用,直径12.4厘米),除颈箍片厚8毫米外,其余泥片各厚4毫米。当捶成厚4毫米的泥条后,将木尺放在泥条上,右手把规车沿木尺由左向右划,划成长43.4厘米,阔8.3厘米的泥条。作好成型的一切准备工作。

(2)打身筒。当泥片和泥条打好后,将围片翻身放在木转盘上,两手拿着泥条沿围片边缘,由内向外围成圆圈,使泥片两头重叠一起,再用螃皱刀斜切下多余的泥条,使断面成为相衔接的斜面,在一头断面处敷上胶泥,使泥条断面处黏接起来,刮去多余的胶泥,并用木拍子挡住接头处外口,右手拿着小的竹拍子刮光和压牢合缝处,在接头处的外部,用刀柄印上记号,以便识别装壶嘴。接着左手插进身筒,用手掌挡住身筒的半部,右手用木拍子拍身筒,一边拍,一边带动转盘自右而左的渐渐转动。拍子也由上而下轻轻地拍,逐步将底部的口缘缩小打圆,使圆口大小与底片相同时才止。然后在底圆上敷上胶泥,贴上底片,用拍子拍圆拍牢,再用刀刮光刮平,使底部圆稳平正。然后把身筒调过头来,把底部放在弧度与底部相称的座子里,再以同样的方法,把另一面的身筒打圆缩小,使圆口与满片相同时,再敷上胶泥贴满片,并把满片拍牢拍圆,刮光合缝处的胶泥,这样就成为一个圆正的球形身筒。再在颈箍片的边缘上敷上少量的胶泥,贴在壶口的满片上,拍牢拍紧,再在颈箍片的边缘敷上较多的胶泥,使壶肩丰满。接着以同样方法,将口准片贴在颈箍片上,假底贴在底部。这些操作都必须注意坯件端正,不可偏歪。然后出晾片刻,再行勒颈箍、揿口片,使颈箍勒的直,口片圆而饱满,同时整理身筒,使身筒分出肩、肚、足三个部分,肩要比颈箍大1.7厘米,肚的弧形要光得饱满,底部要挺起,使三部相称,达到圆、稳、平、正。

(3)搓嘴、錾,做壶盖的子。当身筒打好后,即搓嘴、錾。先把坯泥搓成椭圆形泥条,长3厘米,粗1.5厘米,将尖刀插进较粗的一头,用手放在工作台上轻轻地旋转,形成中空圆锥体。嘴根圆孔大,嘴尖圆孔小。再用双手把该泥条压成所需要的弧形,成为嘴的

半圆供珠紫砂壶
现代

雏形。另用坯泥搓成细而长的壶泥条(切成长14厘米,粗1厘)将錾根和錾梢部切成平行的弧形,再弯成半环形(像耳朵形),待稍干燥后,再行整理刮光。做壶盖先把虚片放在虚砣上揿成半圆形,在该半圆形的边缘上敷上胶泥和盖板片相合拢拍牢,再打好口沿泥条(根部厚3毫米,口部厚1.5毫米)。再把口沿泥条围在直径6.8厘米的围片上,切断泥头,黏接起来。再在口沿根部敷上胶泥,黏贴在盖板片的中心,不可偏歪。稍晾,接着搓一条泥,直径约1.5厘米,在一端用拍子拍成球形,然后切下球形的子,将断面处向内挖成弧形,再在的子中心用针穿个

朱砂六方壶
明代
规　格:高11厘米　口径5.7厘米
此壶泥色红如胭脂。从形制上考证,手法属大彬中晚期的风格,是时大彬游娄东后改制小壶时所作,它是有确切纪年可考的大彬壶之一。其制作技法,舍弃了木模的成型手段,用裁片镶接而成,且开始选用紫砂细泥,这是紫砂工艺历史演进中一个转折期的明显标志。

紫砂陆羽茶经壶

近代

壶胎以深团泥制作，并粉饰古朴色泥，堆、雕、捏、塑，开创紫砂壶艺新天地。底钤"蒋"字异形印款，把梢下有"燕庭"腰圆章。

小孔，然后用胶泥将的子贴在盖片的脊顶上，但必须居中，不能偏歪。再修整壶盖，盖虚片要整理光滑，口沿要勒直刮光，并把口沿里的盖板片用规车划圆挖掉，使口沿内成为内空的半球状，再用针穿通盖虚与的子的小孔，使壶内透气，以使倒茶爽利。

(4)装壶嘴、錾，光身筒，开壶口。先在身筒接头处，开嘴眼孔七个，在嘴眼上敷上胶泥，把壶嘴装在开嘴眼孔的壶身上。再在与嘴相对的另一面，装上壶錾和壶心三点成为一直线，嘴、錾与壶口应一根和錾梢应垂直，不可偏斜弯曲，嘴眼细孔，也应符合嘴根的大小，勿偏歪，否则会堵塞眼孔。再用明针整修和刮光茶壶，使茶壶光滑圆稳平正。最后用直径6.6厘米的规车在壶口上划成圆圈，并挑出壶口的泥片，修平刮光颈箍的内圆，使壶盖灵活旋转。尤其在壶身内腔要用拍子打光刮平。到此，掇球壶造型完成。

(二)"打身筒"和"镶身筒"成型法。

紫砂壶的传统成型方法，是采用泥片镶接成型的手工操作。而泥片镶接成型又可分为"打身筒"和"镶身筒"两种形式。这两种成型法，都需要根据器皿制品的不同要求，先把泥料打成泥片，规范成方圆，再镶接壶的身筒，加上壶的颈、脚、盖等附件。在成型操作时，分别以专用工具进行刮、勒、压、削等加工工序，使紫砂壶制品坯件达到造型规正、结构严谨，口盖紧密和线条清晰的工艺要求。

紫砂高筒壶

清代

规　格：壶高17.5厘米　口径8.3厘米

估　价：RMB 20 000～30 000

乳钉紫砂壶

清代

规　格：高9厘米　宽12厘米

乳钉壶为"曼生十八式"之一，由杨彭年作壶、乔重禧刻铭，此为仅见。黄泥壶能似此壶坚洁亦属罕见。此壶底钤"吉壶"二字印款，把梢下有"彭年"小章。壶身刻梅枝。

书扁式泥绘紫砂壶

清乾隆

此壶泥色青紫泛红，色润细若丝绸，形制书扁式。全壶以泥绘、堆泥装饰，将制壶之泥用笔与雕琢工具装饰，精细无比。全器分三个主视面，由简至繁，由寓意至写实。盖面绘以缠枝化纹，用笔简练，形神兼备。壶肩饰蝙蝠，象征洪福临门，壶身下缘急敛，以泥浆堆绘远山近水、亭台楼阁，工不厌其繁，与同期瓷器有相同的特色。壶底钤有"大清乾隆年制"阳文篆书印。

口，至口径符合要求，再黏接口满片。

(6)理身筒。用薄木拍子旋压旋搓，或按或提，把空心坯体转成各种轮廓曲线。待身筒凉至一定干度，然后加颈加足，以成完整壶身。

(7)弯嘴。按制品规格，用泥料搓弯壶嘴。

(8)弯錾。同时用泥料按要求搓弯壶錾。

(9)做盖。将规车画出盖片和虚片，用这两片泥黏接制作壶盖。

(10)搓的。先用含水分高一点的泥搓圆条，待圆条干至一定硬度叫"的段"，就将这"的段"用工具搓成一粒粒的圆形壶的。

紫砂加彩梅花壶
清中期
规　格：宽21厘米
成交价：RMB 1 100

"打身筒"成型法：打身筒适用于圆类形紫砂壶坯件的成型。早在明代和明以前，圆器成型方法主要是用模具。时大彬悟其法，遂不用模具规制身筒，而把泥条、泥片置于转盘上，以拍打身筒的成型方法来做紫砂壶。这种手工操作的技法，世代相传，就形成"打身筒"成型法。它既不用模具，也不以陶轮拉坯成型，而是用打身筒方法制成。用这种方法制作成型的圆壶，其圆正度与轮制的圆器无异。操作程序是：

(1)打泥条。先把熟泥料置于泥凳上，用木搭子捶打，打成符合制品要求的泥条。

(2)打泥片。用木搭子打出敞器型口、底和身筒的泥片，用规车旋出口，底和围片。

(3)围身筒。把围片黏贴在转盘的正中，把泥条沿着围片圈成泥筒，调校端正。

(4)打下半身筒。以左手衬在圆筒内，右手用木拍子拍打身筒上口，收口后成器皿的下半身形，把底黏接在底部。

(5)打上半身筒。把打好的下半身形翻过身来，再拍打身筒的上半部，逐步收

碗形扁腹壶
民国
规　格：壶高8.3厘米　　宽16.8厘米
估　价：RMB 15 000～25 000

踏花归来马蹄香紫砂壶
现代

(11)装的。把搓成的壶的安装在壶盖的泥坯上。

(12)装嘴。在壶身筒的中心，取一端装嘴，使壶嘴与壶成一水平线。

(13)装錾。在嘴的另一端装上壶錾，壶錾与壶嘴要成一直线。

(14)啄嘴。用尖刀(竹制或铁制的工具)整理壶嘴与壶体的黏接处，使黏接圆正整齐，不留痕迹。

(15)啄錾。用尖刀修啄壶与壶錾休的黏接处，要光滑干净。

(16)成型。用明针和各种工具把坯体理剔规正，周身压光匀和，一个圆壶泥坯的成型完成。

"镶身筒"成型法：镶身筒适用于制造方器或其他几何平而状的紫砂壶成型。其成型工序为紫砂工艺所独有。用这种成型方法制成的方器紫砂壶，线条挺括，均正平直。操作程序是：

(1)打泥片。先把泥料切成一个个方形泥块，用木搭子打成泥片。

(2)裁泥片。按产品设计样板，把泥片裁切出器形需求的泥片。

(3)镶身筒。把裁制好的泥片，用脂泥将组成壶身的泥片先黏贴镶接。

(4)上底。在方的壶身上壶底，用脂泥黏贴镶接。

石梅刻绘方钟紫砂壶

清代

规　格：高6.8厘米

估　价：RMB 50 000~70 000

井栏紫砂壶

现代

紫砂摄只壶（缺盖）

清道光

估　价：RMB 30 000~50 000

(5)上满。翻过身来，用脂泥黏接壶的满。待方的壶身凉至一定硬度，然后加颈加足。

(6)镶嘴。用脂泥把四块泥片黏合成壶嘴。

(7)切錾。用一块厚泥片依照设计样板切出壶錾。

(8)拍身筒。这是方形器皿的特有工序。在加工好颈、足的壶身上，即将装嘴、装錾时，必须再一次整形，用木拍子或竹拍子在壶的轮廓上整拍一次，力求规范。

(9)做盖。把准片和虚片黏接成壶盖。

(10)装的。用厚泥片切成的，把壶的子装上壶盖坯件中央部位。

(11)装嘴。把壶嘴镶接在壶体上。

紫砂圆角方壶

明代

规　格：高10.5厘米　口径5厘米

此壶造型四方圆角，材质紫泥调砂，胎体匀薄。壶身肩部较宽，向下渐敛，下承四折角足。壶身四周有素面开光，微呈弧形外拱，有秀润之姿。盖面浮雕四瓣柿蒂，盖钮作圆角方形，与壶身相呼应。壶底刻"翠竹轩信卿"五字楷书款。

(12)装錾。把壶錾黏附于壶身，与壶嘴要成一直线。

(13)开口。用鳡鲅刀在壶满上开出壶口。

(14)成型。壶体四周用明针修整压光，一个方壶的泥坯成型就此完成。

二、紫砂壶造型的处理手法

紫砂壶泥色多变，造型多样，即古人所谓"方非一式，圆不一相。"紫砂艺人善于运用对立统一规律来处理紫砂壶造型的各种比例关系及形式变化，其方法主要有两种：一种是重复的方法，是在统一中求变化；另一种是对比的方法，是在变化中求统一。

所谓重复的方法，就是用大小不同的同类体形或长短不一的同类线条来设计造型，如掇球壶的壶体、壶盖和的子分别为三个圆球体；上双线竹古壶是由性质相同而方向相反的弧线组成，并配以竹节堆雕装饰，既统一又有变化。

所谓对比的方法，就是两个极端组合在一起，称为对比。利用线条的曲直、长短，体形的大小，壶面的宽窄，空间的虚实，泥色的明暗等对比手法，使紫砂壶造型变化丰富、生动活泼。例如线圆水平壶、秦汉壶的造型，以曲线构成壶体，安上直形壶

紫砂上新桥壶

现代

规　格：高9厘米　宽19厘米

此壶是六十年代为大生产打样新作。用红棕泥制作，色泽红润，光彩照人。壶身扁而圆，底脚圈，肩凹线，压盖与壶口相与，盖板宽，盖顶圆，自上而下观之，似水波纹荡漾，环扣一环，而部桥形钮。壶嘴呈三弯，根部粗大，额部稍平，唇部纤巧，出水流畅且不涎水。把扁方上塑一扁平扣，状似过桥小舟，与盖钮相呼应，利于提握倾注茗壶。

嘴，对比强烈而又统一，也符合使用功能的要求。又如紫砂提梁壶，利用空间的虚实对比来加强造型效果。采用对比的方法，必须在变化中求统一，要取得整体的协调。这是处理紫砂壶造型的规律所必须掌握的要点。在处理紫砂壶造型的另一方面，要注意附件造型的多变样式。所谓附件，是指紫砂壶的口盖、底、足、嘴和的子，这些都是满足实用功能要求的附件。附件造型形式变化多，处理手法也各有特点。

（一）紫砂壶的口盖处理。口盖主要形式有三种：一是嵌盖，有平嵌盖及虚嵌盖之分，制品能达到"准缝无纸发之隙"者属于上品。二是压盖，即覆压于壶口之上的样式，有方圆两种。设计时要求壶盖直径略大于壶口面的外径，俗称"天压地"。三是截盖，这是同一曲线或直线组成的形体分割为壶盖和壶体，如梨式壶，茄段壶。截盖造型简练，整体感强，制品要大小适合，外轮廓线也要互相吻合，所以成型技术要求较高。

（二）紫砂壶的嘴和的子的处理。壶嘴的类型可分一弯嘴、二弯嘴、三弯嘴、直嘴和流五种。处理壶嘴的工艺要点有三：第一，壶嘴造型要适合水流曲线，壶嘴的长短、粗细及在壶体上的安装位置要恰当。第二，壶嘴内壁一定要光滑通畅，壶身出水网眼要多要爽。第三，壶盖上的通气孔大小要合适，气孔要内大外小成喇叭形，这样不容易被水气糊住，注茶时空气能及时进入壶内。紫砂壶的出水眼也有独眼、网眼和半球体滤孔之别，随着饮茶习惯的改变而不断变化。

紫砂四系扁壶
现代

紫砂提梁壶
近代

紫砂四方轿顶壶
现代

十八棵御茶的传说

相传清朝乾隆皇帝巡视江南，一天来到龙井村狮峰山下的胡公庙歇脚，庙里的和尚端上当地的新茶，乾隆帝本来就精通茶道，但一见那茶，不由得叫绝称道，只见洁白如玉的瓷碗中，片片嫩叶犹如雀舌，茶汤翠绿明亮，还透出阵阵幽香，品尝之下，只觉颊齿生香。乾隆帝问和尚此为何茶，产于何处，和尚回答为小庙自产的龙井茶，乾隆帝走出庙门，但见胡公庙前碧绿如染，十八棵茶树青翠欲滴，一时兴起就当场封这十八棵茶树为御茶树，自此龙井茶声名远扬。

收藏知识

高凤六合紫砂壶

现代

三元式内胆紫砂壶

清代

规　格：高10.5厘米　宽18.5厘米

此壶是一件合作新品。壶底有"符生邓奎监造"篆文方章，底印"符生邓奎监造"，盖印"友兰"，壶身铭："三元式，注以丹泉，饮之吉，勿相忘，曼生仿古。"

壶錾的形式，有端把、横把、提梁三种。端把壶即最常见的执壶。横把是用在茶器上的式样，以圆筒形为多。提梁壶的形式源于瓦炊、铜壶，其提梁大小与壶体要协调，不宜过高。还有用金属或竹藤做的活络提梁，丰富了质感对比和艺术效果，因此更具装饰性。

壶的子的形式，有球形、桥形、牛鼻形、瓜柄形、树桩形和肖形动物等。紫砂壶形制高的常用圆球形的子，矮的用桥形的子，而花货则用瓜柄形、肖形动物的多。牛鼻形的子牢固，拿取稳当，形成盖面的虚实对比效果也好。

壶嘴、壶的子在与壶体连接上，处理时可分为"明接"、"暗接"两种方法。一般粗货产品及方器均用"明接"处理，利索大方；而传统造型的汉扁壶则用"暗接"处理其嘴、錾与壶身浑然一体，且有舒展流畅的造型特色。

(三)紫砂壶底足的处理。底足形式分一捺底、加底和钉足三种。用一捺底处理的圆器造型紫砂壶，更显得简练、灵巧。加底是壶体成型后加上的一道泥圈，又称"挖足"。钉足有高矮之分，一般用于底大口小的壶类造型。

底足也是构成紫砂壶造型的一个重要部分，底足的形式与尺寸的大小，直接影响着壶的造型和放置是否稳当。所以要处理好底足，才能使紫砂壶成品达到既实用又美观的要求。

一件完美的紫砂壶，是艺术和技术统一的结果，是艺术制约技术，技术服从艺术的必然规律，二者不可缺一。

三、几何形体紫砂壶造型

几何形体紫砂壶造型，是根据球形、筒形、立方、长方及其他几何形变化而来的，是最常见的造型，俗称"光货"。其造型讲究立面线条和平面形态的变化。几何形体紫砂壶造型又可分为圆器和方器两种。

圆器造型讲究"圆、稳、匀、正"，并要求"柔中寓刚"。珠圆玉润之圆中要有变化。壶体本身以及附件的大小、曲直要匀称，比例要恰当，整个造型要端正挺括。紫砂传统造型掇球壶、仿古壶和汉扁壶等，就是紫砂圆器茶壶的典型造型。

方器造型讲究"方中寓圆"，要求器皿线面挺括平正，轮廓线条分明。不论是几方形的造型，紫砂壶口盖必须规矩划一，任意转动壶盖，口盖准缝吻合。紫砂

天际紫砂壶

现代

估　价：RMB 30 000～40 000

逸泉紫砂壶

现代

规　格：高8.2厘米　宽15.6厘米

此壶用自制细紫泥制作，表面砂质细匀可亲。从壶把起，向两旁镌刻几枝清秀的寒梅，并署铭文："宝剑锋从磨砺出，梅花香自苦寒来。"款署"石羽"（沈汉生）。底钤"顾绍增制"印款，盖内有"顾"、"绍培"两小章。

茶具组合

现代

紫砂茶具《林中来》

现代

估 价：RMB 20 000～40 000

传统造型四方桥顶壶、传炉壶、僧帽壶、雪华壶等，就是紫砂方器茶壶的典型造型。

四、自然形体紫砂壶造型

自然形体紫砂壶造型，取材自植物、动物的自然形态，最能代表制壶艺人的匠心独运，以造化为师。因为这种紫砂壶的造型带有一些浮雕、半浮雕的装饰，俗称"花货"。

紫砂壶花货主要是用提炼取舍的艺术手法，利用自然形态的变化来造型。另外则是在几何形体上运用雕镂捏塑的手法，将自然形态变化为造型的部件，如壶的嘴、鋬。设计花货，要表现自然形态最美的部分，并要符合功能合理、视觉美观和使用安全的原则。紫砂传统造型鱼化龙壶、松竹梅壶、翠蝶壶、荷花壶和藕形壶等，是花货造型的代表作品。

五、筋纹器紫砂壶造型

筋纹器紫砂壶造型，是将花木形态规则化，使其结构精确严格，制作精巧的一种陶瓷造型。其特点是将形体分作若干等份，把生动流畅的筋纹组成丁精确严格的结构之中，形成一个完美的整体。一件

成功的筋纹器紫砂壶，其筋纹随着造型形体的变化而深浅自如，筋囊线条纹理清晰，制作精工，口盖准缝，任意调换壶盖的方向合到口上，都很滑爽吻合。传统紫砂合菊壶、乐盘壶等，就是筋纹器造型中有代表性的产品。

六、水平壶和茶器造型

水平壶容量很小，是中国广东、福建一带喝"功夫茶"的器具，在东南亚一些国家和地区也有一定市场。

因为喝"功夫茶"时，壶内要放很多茶叶，仅用开水冲泡，茶汁出不来，还必

石桃紫砂壶

近代

估 价：RMB 80 000～120 000

紫砂笠式壶

现代

宜兴紫砂花瓣纹茶壶

清道光

规　格：高6.3厘米

成交价：RMB 4 400

须将壶放在茶碗或茶海内，用沸水浇淋茶壶的外面，使茶壶浮在热水中，才能使茶汁泡出来，这就是水平壶名称的由来。

　　水平壶的规格，习惯以"几杯"称，有半杯、二杯、四杯、六杯、八杯、十二杯之别。一般六杯壶容量为80毫升，八杯壶容量为100毫升。水平壶的造型，要求壶嘴和在形式上要协调，其重量还必须一致，才能使壶在热水中保持平衡。同时，要求水平壶的嘴以直形嘴为最多，以利于使用功能及生产工艺。紫砂水平壶传统的式样有线圆水平、扁雅水平、汤婆水平和线瓢水平等，近年还有精致的什锦水平新品问世，造型美观，制作考究，质地致密，颇为中外人士赏识。

　　茶器的造型，一般不用端把(传统样式的壶)，而在与壶嘴成90度角处装一柄。也有连柄都不装的。茶器较大，嵌盖较多，一般用"流"代替嘴。茶器的容量，一般在200～300毫升之间，其"流"的根部较大，所以出水爽快。

紫砂双竹提梁壶

清代

规　格：高16厘米　口径8.2厘米

此壶造型以竹子为题材，通身雕作竹形，盖钮和提梁作双竹相绞状，自然生动，腹部堆雕竹技一圈束腰，壶流也塑作竹形，把竹枝处理得既挺劲又柔韧，构思别具匠心，不失为紫砂壶艺的精品。

束柴三友壶、碗（一套）
清代
规　格：高8厘米
成交价：RMB 275 000

福圆紫砂壶
现代

合菊紫砂壶
现代

熏豆茶的传说

　　熏豆茶的缘由，民间有三种传说。

　　一是流传于浙江德清、余杭一带民间关于防风氏的传说。防风氏是与大禹同时的另一位治水能人。防风氏曾在浙江一带治水，当地百姓曾用橙子皮、野芝麻泡茶，为他祛湿驱寒，另以土产烘青豆佐茶。防风氏性急，将豆倒入茶中，他连茶汤带烘豆一口吞吃。这样，防风氏更加力大无边，治水业绩更加辉煌。这种饮茶习俗沿袭了2800多年，被1200多年前的唐代茶圣陆羽所肯定。从此，湖州、杭州、嘉兴等城乡吃熏豆茶越来越讲究。

　　二是流传于太湖畔的江苏吴江一带关于伍子胥的传说。1700多年前的吴国大将伍子胥曾在今吴江市庙巷乡开弦弓村屯兵，他在拉弓射箭时用力过猛，造成地石震动变形，成了弓弦状而得地名。当地百姓对伍大将军屯兵苦练，看在眼里，记在心里，自发地采集土产青毛豆肉烘干，以充军粮，慰劳伍将军。伍大将军吃了口干，就用开水冲泡，还加些茶叶，成了香喷喷、咸津津的熏豆茶。从此，这种吃茶方法就在太湖沿岸流传成俗。

　　三是流传于洞庭湖的湖南湘阴、汨罗一带的关于岳飞的传说。南宋绍兴年间，岳飞被授予镇宁崇信军节度使，带领兵马南下，驻军汨罗县，他的士兵多数来自中原地区，一到南方，水土不服，军营中腹胀肠泻、厌食和乏力者日见增多。岳飞不仅是武将，还精通医术。他吩咐部下熬含盐的黄豆和姜汁汤让士兵当场喝下。果然，士兵的疾病迅速减少，军营周围的百姓一看，也学着沏泡这种茶。

　收藏知识

紫砂弯楞形壶

清代

规　格：高6.8厘米　长15.2厘米

此壶为紫褐色泥，长圆弯楞形壶身，呈六半瓜状。壶底有"鸣远"行书刻款，"陈鸣远"篆书阳文方印。

紫砂曼生十八式之一壶

现代

估　价：RMB 15 000～25 000

杭州的品龙井

　　龙井，既是茶的名称，又是种名、地名、寺名、井名，可谓"五名合一"杭州西湖龙井茶，色绿、形美、香郁、味醇。用虎跑泉水泡龙井茶。更是"杭州一绝"，品饮龙井茶，首先要选择一个幽雅的环境。其次要学会龙井茶的品饮技艺。沏龙井茶的水以80℃左右为宜，泡茶用的杯以白瓷杯或玻璃杯为上，泡茶用的水以山泉水为最。每杯撮上3～4克茶，加水七八分满即可。品饮时，先应慢慢提起清澈明亮的杯子，细看杯中翠叶碧水，观察多变的叶姿。然后，将杯送入鼻端，深深地嗅一下龙井茶的嫩香，使人舒心清神。然后缓缓品味，清香、甘醇、鲜爽应运而生。

收藏知识

第四章　紫砂壶的装饰艺术

装饰是紫砂工艺中经常运用的手法。它将自然形态的素材进行概括加工,"去粗取精,去繁就简",选择自然形象中最真实、简洁、精美、生动的部分,使纹样造型比自然形象更美、更典型、更理想,其目的是为了把纹样设计与器物造型吻合谐调,相得益彰,使紫砂壶有一种特殊的美。

所谓装饰艺术,就是以丰富、强烈而完美的装饰性为特征的一种艺术形式。它包括按一般形象思维方式进行创作的富于装饰性的绘画或雕塑,以设计意识及功能为主导,驾驭一定的材料,运用装饰技巧及某种工艺手段制作的工艺品和陈设品。而紫砂壶是充分利用紫砂泥料所固有的肌理质感、造型变化和泥色对比来表现其装饰效果的,它不轻易附加装饰,而以朴素雅致为主,这是紫砂壶装饰艺术的主要特点。相当一部分壶类产品,即使施以局部的雕饰,在形体的口、肩、肚、足等部位用各种立体线条来加强其造型的装饰性,也是本着花素相宜的原则,按照不同壶形,以简洁的传统字画或装饰花样,刻画出虚实相关的装饰图案。这种很有分寸的装饰手法,具有含蓄而提神醒目的艺术表现力,把实用与美观巧妙地结合起来。在紫砂

早期紫砂四系壶
现代

冰心道人款刻山水诗文紫砂壶
清代
规　格:高9厘米
估　价:RMB 18 000~25 000
成交价:RMB 53 900

壶坯体上进行刻画、着色、彩釉装饰和成品抛光及金属包镶等几种装饰手段，在紫砂历史上都曾产生一定影响，并形成了紫砂壶的独特的民族风格和地方特色。

一、紫砂壶的线条装饰

紫砂壶线条装饰的种类很多，各种各样的线条都必须用牛角或铁、木、竹制成的专用线尺进行加工，使线条挺括而又清晰。这些线条不仅加强了紫砂壶的装饰效果，且可增强成型时黏接处及边缘部分的应力，减少产品在烧成时的缺陷，提高正品率，现将有代表性的几种装饰线条运用规律和特点简述如下：

灯草线：这种小圆线以状如灯草而得名。将其用在紫砂壶的口沿部，称为翻口线；用在底足部则称为底线；可单独或成组用在壶体、肩、腹，以增强其造型的装饰效果。

子母线：这是一种双线（一粗一细），又称文武线。用于紫砂壶的口盖组合和口沿，一般要求上粗下细。上大下小，称为"天压地"，使制品造型更加安定厚重。

云肩线：这种线条经常用于紫砂壶颈部、口下沿等转折部位，其线条一般较薄，要求匀净、清晰，能增强制品造型的装饰性，富有韵律和节奏感。凹凸线及皮带线用这类线条进行装饰，分别以线条的粗细、厚薄和宽窄来达到不同的艺术效果。一般在紫砂壶腹部用凹凸线或皮带线，可使产品造型增加变化，且又显得庄重大方。

万蝠菊球紫砂壶

清代

规　格：高10.7厘米　口径7.8厘米

此壶身呈菊球形，分为十八瓣，通体施蓝彩为地，用红彩、金彩绘云头如意纹，并以红蝙蝠、牡丹、万字纹装饰，构成"万代安福"的吉祥图案，艳丽缤纷，为皇室专制贡品。

梅段紫砂壶

现代

规　格：高10.8厘米　口径横7.8厘米　纵6.5厘米

估　价：RMB 50 000～80 000

太平韵气紫砂壶

现代

规　格：高12厘米　宽15厘米

此壶壶身似古式铜鼓，高身、收腹、美人肩，口平圆线，盖平微穹边圆，重合双线相吻合。流粗根向上展，婉曲秀美，把圈垂一活动环，平添奇趣。

紫砂提璧壶

现代

规　格：高14.3厘米　口径8厘米

估　价：RMD 50 000~60 000

二、紫砂壶的刻画装饰

刻画装饰是紫砂壶的主要装饰形式。紫砂壶以其本色和特性著称，但在紫砂壶半成品泥坯上用锋利的钢刀雕刻出真、草、隶、篆、魏碑、汉简、钟鼎、石鼓等各体书法的诗词歌赋，或花卉、虫鸟、山水、人物等国画白描，集文学、书法、绘画、篆刻诸艺术于一体，形成了紫砂壶的装饰工艺，更增加了紫砂壶的艺术感染力。

刻画装饰一般都是先在陶坯上书画，然后依着字书雕刻。每刻一笔，施以两刀，中间剩余泥块，用刀口刮平。这就是"双入正刀法"。刻字要划平竖直，刻得珠圆玉润；刻画要刻得有来龙去脉，做到结构相称，刀法分明。雕刻工具可用竹尖刀和钢质刻刀。镌刻技法有刻底子和空刻两种；刻底子是先把字画底稿用毛笔写在紫砂泥坯上(也有先用铁笔刻于油印蜡纸，再用特

无言紫砂壶

现代

规　格：高15.5厘米　宽15厘米

此壶用浅色菜茄泥制作，色泽清淡。壶身采用椭圆式，皎皎月下，微风拂起水花，壶尾端伸展两枝交叉荷枝作提梁，一朵荷苞巧作壶流，荷叶覆盖水波以嵌结结构融于壶体，妙若天成。荷筋叶脉流畅清晰，荷花着以少许红色点缀，其法源于花塑器制作技艺，又用现代堆塑手法合成。叶脉修饰、荷筋刻划以及荷枝上的硬刺，皆刻意雕琢，生态自然，相应成趣。

心舟款刻花卉诗文紫砂壶

清代

规　格：高15.2厘米

成交价：RMB 51 700

凹肩线：这是一种双曲线，用于紫砂壶肩部装饰，可以加强产品造型的稳重感，且有节奏变化的艺术效果。

筋囊线：这是一种垂直线条，可将紫砂壶形体作成若干等份。使用筋囊线，要随着壶身的肩、肚、腹而变化，线条深浅自如，其装饰效果似蒜头上的瓣纹。

抽角线和折角：主要用于方器成型的面与面交接处。用抽角线或折角处理的紫砂壶方器，可藏锋匿角，富有变化，使制品造型更有装饰性。

云水纹、菱纹和花瓣纹：这些纹饰都是要按一定规律布满紫砂壶形体全身的凹线，要求线条流畅，整体气韵贯通，使紫砂壶的造型生动活泼，更加灵巧。

以上列举的各种纹样装饰线条，是紫砂艺人的生产实践中受其他器具特别是明式家具的影响，而不断总结出来的。它不仅丰富了紫砂壶造型的装饰性，而且增强了实用功能。

文人斗茶

民间斗茶之风既起，文人自也不甘落后，文人们往往相约三五知已，选一个精致雅洁的场所，在花木扶疏的庭院中，各自取出所藏的精致茶品，轮流品尝，决出名次，以分高下。当时连寺院里的和尚们也都乐于此道，清人郑板桥有诗云："从来名士能评水，自古高僧爱斗茶。"可见斗茶除了茶品好坏之外，更注重闲逸与精神素质，是一种精神上的互相引发与交流。

后来连皇帝也加入了斗茶的阵容，宋徽宗赵佶对茶尤有研究，并写一专著，题名《大观茶论》，书中分列二十余目，对茶的产制、烹试和品质等方面都作了详细的叙述。皇帝亲撰茶叶专著，这在中外历史倒还是头一遭哩！

收藏知识

紫砂加彩婴戏壶

民国

规　格：高13厘米

估　价：RMB 1 000

"大清乾隆年制"款。

紫砂二龙戏珠方壶

民国

规　格：高10厘米

估　价：RMB 1 000

"民国十八"款。

周桂珍紫砂壶

现代

规　格：高15厘米

估　价：RMB 800

云纹紫砂壶

民国

规　格：高10厘米

估　价：RMB 500

紫砂大圆壶

现代

规　格：长35厘米

估　价：RMB 500

紫砂彩绘壶

规　格：长0.5厘米

由驰骋，犹如天马行空，刀法多变，可轻可重，或虚或实，可粗可细，或刮或划，粗犷豪放，耐人寻味。

紫砂壶陶坯刻款还有以下几种不同类型的刻法。

写泥刻款：紫砂壶泥坯尚含有20%的水分时，就以圆钝的铁笔或竹刀进行刻写。

湿泥刻款：紫砂壶泥坯近于干硬状态时，即以锋利的铁刀进行雕刻。

干坯刻款：紫砂壶泥坯基本干燥后，以毛笔绘墨稿，然后再用钢刀依着笔画进行雕刻。

描边剔泥刻款：先以细刀描出轮廓边，再以挑或点的手法去掉其中的部分。这样的陶刻手法产生特殊的装饰艺术效果。

就陶刻角度论饰壶，在掌握陶刻传统手工工艺的同时，必须融汇书法、绘画、历史、文学、美学诸方面的知识，建立自己的美学观点。就刀法而言，要充分体现刀在紫砂壶泥坯上的刀痕的质感。因此，不求雕琢的工整，但求明快质朴，刀痕出神。

紫砂茶叶罐

清代

规　格：通高12厘米　　口径2.8厘米　　底径7.5厘米

制油墨印到紫砂泥坯上），然后运刀依样刻出；空刻是直接用刀在泥坯上刻出字画来，握刀似笔，强调指腕用力。其用刀方法，可归纳为"划、竖、撇、踢、捺"五个字。刻"划"，刻刀先下后上；刻"竖"，刻刀先左后右；刻"撇"，先用顺刀，后用逆刀；刻"踢"，先用逆刀，后用顺刀；刻"捺"，刻刀先上后下。刻画，必须注意行刀的浮沉利钝、深浅宽窄，笔势的气脉连贯，以显示迹外传神的神韵。精细的作品，用斜刀刻法，能刻出挺秀的精神；普通品种则用平刀刻法，在陶坯上直接下刀，不先作画，这就是"单入侧刀法"，俗称"空刀法"，以刀代笔。

陶刻装饰方法，一般可分为清刻、沙地刻、阳刻、阴刻、着色刻五种。根据紫砂壶的不同器形，施以不同方法加以装饰。清刻用刀大都要不脱秀气，因为清刻就是不加工染色，画面书法粗的部分，刀法要深，细的部份，则应浅刻，挺秀的线条用刀，要刻得圆润而灵秀。如刻石头、竹梗之类的作品，有疏有密，衬点要分得出春夏秋冬。

陶刻刀法大体可分为两大类，即"双刀正入法"和"单刀侧入法"。此外还有涩刀、迟刀、留刀、轻刀、切刀、舞刀等各种金石用刀方法。双刀正入法是两面用刀起底，要刻出底面为三角底、平圆底、沙地自然形底等，犹如碑碣石刻，有纤细工整、严谨端庄和清秀之态。单刀侧入法是运刀必须胸有成竹，自

紫砂加彩壶

清中期

规　格：高11厘米

成交价：RMB 330

方钟紫砂壶

现代

紫砂壶的雕刻不同于一般的雕刻，也有别于漆雕和其他陶瓷刻绘。它是在紫砂陶坯凹凸不平、多角线条等复杂的造型上进行操作的。书画题材的取舍与笔法，基本上与国画相似。有书有画，书画之外，还有印章款识。只是布局上有所不同，要按照紫砂壶各种造型，分别对待。画面要求清晰而层次分明，刀法既定就不能更改。一件优秀的紫砂壶制品，在成功的造型之上进行精致的镌刻，俨如一幅完美无缺的中国画，图文并茂，倍增风雅。所以紫砂壶有它独特的民族风格。

由于陶器泥坯易刻的缘故，在最早的木刻文字尚未发现以前就有了陶刻文字。据有关资料证实，陶刻文字是目前已知早于甲骨文、金文、简牍等出现最早的汉字。自有原始陶器出现就有了陶刻的存在。紫砂陶器的出现使紫砂陶刻相伴问世，它与古代陶器刻文同出一辙，即作者在所制陶坯上记述姓名或铭文。

紫砂刻画装饰是由制壶艺人署名落款而逐渐发展起来的一种装饰形式，最早见于元代壶铭"且吃茶，清隐"五字草书。至明代，供春、时大彬等名家所制紫砂壶都铭刻着作者的姓名和制作年代，一般都刻于壶的底部或壶盖的子口或錾下等不显眼处。如供春制树瘿壶錾下刻有铁线小篆"供春"二字；时大彬制六角壶底镌"万历丙申年时大彬制"二行楷书。后来，由于茶事兴盛和紫砂壶的社会影响，追求书法艺术和铭刻趣味，不仅是制壶艺人自己落款题词刻于壶上，而且还吸引了社会上不少精于品壶的书画、金石家及文人墨客，他们也纷纷介入紫砂制作，出样订制，挥毫饰刻。同时，刻画装饰的部位也都移至壶的肩、腹、盖面等显眼处了。其中最有影响的是清嘉庆、道

彭年制曼生铭紫砂仿古井阑水呈（小修）
清嘉庆
规　格：直径10.6厘米
估　价：RMB 80 000～100 000
成交价：RMB 115 500

紫砂佛手壶
近代
规　格：高15.4厘米　宽21厘米
胎泥呈橘黄色，器身作横卧佛手状，盖内蜀"冶陶"二字印款。这"冶陶"、"半陶"、"福记"等印款给人们留下不解之谜。该佛手壶为传统壶式，用树枝作把，攀枝构成壶底腰，树桩疤节苍老，疏密有致，极富灵气，壶盖塑二片枝叶和一个小佛手果，壶把与底腰枝梗要接，联成一体。

光年间，由书画金石家陈曼生设计的壶样，由制壶名工杨彭年等制作，再由陈曼生及他的的幕友撰词作画镌于壶上，成为一种寓造型、诗词、绘画、书法、金石于一体的紫砂壶独特风格，世称"曼生壶"，多有精品。清末，由于紫砂工艺生产规模不断扩大，紫砂壶刻画装饰逐渐形成了一支专业队伍，正式列为紫砂工艺流程中的一道工序，相沿至今。

陶刻装饰的题材比较广泛。紫砂壶上的铭文，以往都是择古人的诗句。内容有的是与茶或花卉有关的题咏，且多由《唐诗三百首》及《千家诗》中选出。画面常取材《芥子园画谱》及《点石斋画报》，19世纪纪画家任伯年花鸟画也被广为利用。现代著名的紫砂陶刻装饰艺术首推任淦庭，当今众多的陶刻工艺师都是出于他的门下。

三、紫砂壶的坯体着色

紫砂壶一般不上色釉，但坯体成型后，上面所雕刻的书画均需采用粉料着色，这是它的特点。着色的目的是使产品在烧成后，画面色泽更加显现出古色古香的特色。

着色的原料，主要是青、绿、红、白几种紫砂陶土颜色的天然矿物原料本色或配合成深浅各种颜色。

描金紫砂壶
清代
规　格：长16厘米
估　价：RMB 3 000~5 000
成交价：RMB 275 000

石瓢紫砂壶
清代
规　格：高6.6厘米　口径6.5厘米
此壶从整体上看，壶身上部扁大，尤其是"人"字形直线的运用，造成一个在主视角度以内的梯形表面。壶身铭："冬心先生余筬其画竹研，研背有竹一枝，即取其意。板桥有此一纵一横，颇有逸情。仿梅道人子冶自记。"壶盖铭"宜园"。盖印"吉壶"。把下印"彭年"。

白色：白泥。
绿色：氧化钴与本山绿泥配合组成。
蓝色：氧化钴与白泥配合组成。
红色：将紫泥中的山黄泥料提炼经过煅烧而成。
淡红：生白泥与生红色泥料配合组成。
褐黄：黑料与生红泥配合组成。
色料的炼制：先将不同比例配合的矿物原料碾细、然后用清水浸漂，浮在水面的一层腊膏，即为有用色料。除此之外，还可以用氧化钴和氧化锰作为色剂。过去唐三彩的蓝色，宋瓷的天蓝色，以及元明的青花，都是钴料的着色作用。明代法花的紫色，清代的茄皮紫，都是锰料的现色。现代宜兴紫砂壶所用的墨绿泥，就是用本

山绿泥、白泥掺合氧化配合制成的；所用的粉绿泥则是用粉末掺二氧化锰制成的。

着色时，一般是先上白料，然后根据画面色彩要求，加上各种色料。如着一枝红梅，当涂过白料之后，再施以本山红泥绿梅，则用本山绿泥。用以上各种色料施于紫砂壶陶坯，烧成后色泽鲜艳，永不消褪。

四、彩釉、抛光及金银丝镶嵌艺术

在紫砂壶成品上，施以彩釉或进行抛光及金银丝镶嵌等装饰加工，可使产品别开生面，古色古香，另创一种艺术风格。

1.彩釉装饰

彩釉装饰始于清乾隆年间，是在宜兴传统的泥料堆绘的基础上，吸取了景德镇瓷器的"粉彩"装饰技法而发展起来的一种装饰形式。所谓泥绘装饰，是一种在紫砂坯体上装饰的方法，即在已完工的尚有一定湿度的泥坯上，用其他色泥或本色泥料堆画花鸟或山水纹样。用泥料画出有一定厚度，恰似薄玉雕效果。被用来堆画的色泥有白泥、朱砂泥、乌泥等。泥绘装饰手法流行于清初。

彩釉装饰是在烧过的紫砂壶上用釉彩绘或满身挂釉。近人李景康、张虹合撰的《阳羡砂壶图考》记有"原色加彩五色花卉，极为工致"等语。这种装饰是用低

包金乳峰紫砂壶

现代

井栏紫砂壶

现代

估　价：RMB 60 000～80 000

"东溪"款紫砂壶（一对）

清同治

估　价：RMB 30 000～40 000

成交价：RMB 49 500

宜兴刻字竹柄茶壶

清代

规　格：高9.4厘米

成交价：RMB 9 900

六安瓜片的传说

　　相传在金寨麻埠镇有个农民叫胡林，为雇主到齐云山一带采制茶叶。茶季结束时，他来到一处悬崖石壁前，那里古木纵横，人迹罕至，忽然他在石壁间发现了几株奇异的茶树，枝繁叶茂，苍翠欲滴，芽叶上密布一层白色茸毛，银光闪闪。胡林精于制茶之道，对于辨别茶树品种优劣极为内行，知道眼前的茶树是极为难得的名贵品种。于是，随即采下鲜叶精心炒制成茶，带在身上，下山回家。他赶路心急，便走进路旁的一家茶馆歇脚，将自己随身所带的山茶拿出来冲泡，开水一注入，只见茶杯中浮起一层白沫，恰似朵朵祥云飘动，又像金色莲花盛开。异香满屋，经久不散，举座皆惊，异口同声赞曰："好茶！好香的茶！"后来，胡林又回到山中，去寻找他在悬崖石壁间所发现的那几株茶树，可是峰回路转，再也无处寻觅了。

　　当地人认为这是"神茶"，不可复得。这个故事流传若干年后，有人在齐云山蝙蝠洞发现了几株茶树，相传是蝙蝠衔籽所生。这几株茶树和胡林当时所描述的茶树一模一样，大家就自然而然地称其为"神茶"。据说，六安瓜片就是神茶繁衍而来的。

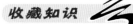
收藏知识

紫砂提梁铫壶

清嘉庆

估　价：RMB 30 000～50 000

温铅釉彩在紫砂壶成品上堆绘花卉、山川、戏曲人物等，再放入一"红炉"里第二次烧成，烧成温度约800℃～900℃。另有将紫砂坯体周身施满彩釉的手法，称为"炉均"。紫砂壶彩釉装饰和炉均产品，流光溢彩，在紫砂工艺史上是别具一格的。现代讲究紫砂壶本色，故很少采用此种工艺。

2.抛光工艺

抛光是指对光货类紫砂壶烧成后进行的再加工装饰，先用铁砂布将壶面磨光，然后在抛光机毡轮上抛光。经过抛光的紫砂壶，光彩照人。还有将壶的嘴头、口边沿线和的子包上黄铜皮后再抛光，以此来加强紫砂壶的艺术效果。其实，紫砂壶用铜、锡、金来作装饰由来已久，如张燕昌《阳羡陶说》里就有关于宜兴花尊的记载："若莲子而平底，上作数孔，周束以铜，如提梁卣，质朴浑，气尤静雅。"阮葵生《茶余客话》里有"近时宜兴砂壶，复加饶州之鎏"的记载，所谓"饶州之鎏"，就是仿照景德镇加彩方法装饰紫砂壶。他认为"光彩照人，却失本来面目。"

3.金银丝镶嵌

金银丝镶嵌的工艺操作采用堆、雕、镂、塑、嵌、刻等多种手法进行装饰，不仅镶嵌金银丝，甚至施以珠玉、钻石等贵重材料，赋予砂壶奇珍异彩。操作程序是参照金银错的工艺手法，先将纹饰图案画上紫砂壶泥坯并刻出凹槽，烧成后把加工好的金银丝嵌入槽内敲实，然后再磨平，也有不磨平的，使金银丝成立体状。后者的制作手法与价值都高于前者。

金银丝镶嵌的材料，一般以银丝为主，锡丝也有人采用，金丝的镶嵌则使紫砂壶更增添价值。另外，还有将银熔化之后，直

宜兴紫砂刻字山水茶壶
清代
规　格：高 7.3 厘米
成交价：RMB 13 200

接绘在紫砂壶坯体外表，称之为"流银"，不同于银丝镶嵌，做工及价值感均相差甚远。

金银丝镶嵌的作品常用传统题材，寓意美好吉祥，具有浓厚的东方民族特色。自20世纪80年代起跻身于紫砂特种工艺行列，精品佳作层出不穷。适用于豪华、高档陈设，显示华贵、端庄气质和富丽堂皇的装饰效果。现代擅长金银丝镶嵌的紫砂艺人以鲍仲美、施秀春夫妇合作的紫砂壶产品最为名贵，色泽对比鲜明，纹饰优雅细腻，深受海内外众多人士喜爱。

紫砂御题壶
清乾隆
规　格：高6 厘米
估　价：RMB 180 000～200 000
成交价：RMB 165 000

紫砂瓦当壶

民国

规　格：高12厘米

估　价：RMB 1 000

"吴云根制"款。

紫砂报春壶

现代

规　格：高11厘米

估　价：RMB 1 000

"朱可心"款。

紫砂壶

民国

规　格：高10厘米

估　价：RMB 1 000

紫砂提梁壶

现代

规　格：高16厘米

估　价：RMB 1 000～2 000

紫砂壶

民国

规　格：高7厘米

估　价：RMB 1 000～2 000

"晓燕制陶"款。

第五章 历代紫砂造壶艺术

紫砂壶是反映时代风尚的的产物，而某个时代的品味，也规范壶的造型及纹饰，紫砂壶的造型艺术可以说是中国工艺品发展及演变的缩影。

所谓造型艺术，是指用一定的物质材料，以形、光、色、点、线、面、体等造型手段，创造视觉可感的平面或立体的形象，反映客观世界的具体事物和作者审美意识的艺术。包括绘画、陶塑、雕刻、建筑、工艺美术等。"美术"、"视觉艺术"或"空间艺术"，是18世纪德国美术家莱辛最先使用的，原意是指绘画，后来才扩及整个美术部类。在原始社会，造型艺术与人类必须的物质资料生产有直接联系，人类在长期的生产活动中，通过对外部世界和自身的改造，逐步提高到"按照美的规律来改造"。造型艺术的审美特征有：造型美、直观美、空间感和质量感。历代紫砂艺人在细心观察和研究社会现象及自然形态的基础上，吸取了中国传统绘画和古代陶器、青铜器、漆器、玉雕、秦砖、汉瓦、唐镜、宋瓷等传统工艺美术品的艺术特点，获得了高度的艺术素养，从而设计和生产了形形色色的紫砂壶造型，并形成独特的民族风格和地方特色。

造壶艺术是指以设计意识为主导，伴以形象思维的审美意识，通过工艺材料、工艺手段和各种专业技巧进行制作或生产

紫砂四足方壶

现代

紫砂壶的一种造型艺术。它不同于一般意识上的纯美术。其本质特点是强调实用价值和审美价值的统一，具有物质与精神的双重属性；其美学特征是满足实用功能的要求，体现材质美、工艺美和装饰美。所以，造壶艺术作为融生活与艺术为一体的广义的文化形态，是中华文化的形象写照。有关紫砂名艺人的记载，最重要的两部著作是明代万历年间周高起撰写的《阳羡茗壶系》和清代乾隆年间吴骞编著的《阳羡茗壶系》。《阳羡茗壶

宜兴紫砂宝塔形壶

清代

规　格：高11.7厘米

估　价：HK$ 80 000～100 000

成交价：HK$ 123 900

紫砂贴花螭龙纹壶

清代

规　格：高11厘米　宽19厘米

壶上贴泥纹饰，云水纹与寿字螭龙纹，口线、底线间贴饰水浪纹，喻意吉祥。口部大，盖微穹，塑螭龙钮，旁贴云水纹饰，相对趋势。盖内有"汉臣"印款。

宜兴绿泥青蛙钮莲蓬形壶

清代

规　格：高18厘米

估　价：HK$ 30 000～40 000

成交价：HK$ 224 200

系》是第一部关于宜兴紫砂壶的专著，详尽地介绍了明代宜兴紫砂壶的原料和生产过程。更重要的是，它详细地记载了万历年间制壶名艺人的姓名及其造壶艺术的卓越成就。《阳羡名陶录》除吸收了《阳羡茗壶系》的重要内容外，还把明代和清初人写的有关宜兴紫砂壶的一些重要著作和诗文都收录进去。除此以外，它还补充介绍了明末到清初康熙年间的著名艺人。以后，嘉庆二年《增修宜兴县旧志》，又根据这两部著作的记载，把明清两代宜兴制壶艺人收编在县志的《人物志》里。清代末年许之衡所著的《饮流斋说瓷》和寂园(陈浏)所著的《匋雅》里，则介绍了明代宜兴的欧窑。有了这些著作的记载和介绍，才使后人知道陶都历史上许多著名艺人的事迹及其作品的风格。紫砂壶的造型，千姿百态，有朴实的实用造型，也有奇巧的怪异造型，但总括起来分为下列各类：几何形、自然形、筋纹器及水平壶和茶器。在紫砂壶生产的不同历史时期中，几类造型的壶均有制造，但每时期生产的主流却又有所偏重于某一种造型、艺术风尚。关于紫砂壶造型艺术发展历史，当今国内外诸多宜陶研究专家、学者的分析，都有独到的见解。现择其要点介绍如下：

中国香港罗桂祥博士收藏和研究紫砂壶多年，并于1981年将其收藏的茶具珍品慷慨捐赠予香港市政局属下的香港艺术馆，该馆专辟一个分馆作为茶具文物馆，目前馆藏茶具已逾千件。1986年，罗氏在他所著的《宜兴陶器》(英文版)里，将多年来对紫砂壶造型和款识的研究心得，归纳为若干带有规律性的结论。

平肩橄榄壶

明代

规　格：高16.5厘米　宽19.2厘米

此壶胎泥色细润，制作光洁。壶身为橄榄式，嵌盖凸起，似瓷器将军罐盖，三弯嘴，大圈把，造型奇崛，有明显源于瓷器之造型。壶底部用竹刀刻："行吟月下山水主人士衡"十字楷书款，盖内有"士衡"篆书长方章。

奇闻古传今实

　　"桂林山水甲天下"，桂林奇岩怪石，美丽如画，景色迷人，自古以来就生产不少品种奇特的名茶。真可谓"奇茗盖春山，芬香布象州"。特别是流传的以茶之奇功能嚼碎铜钱的奇闻(此茶当地人称其为"白牛茶")，实在令人难以置信。有人做过实验，将铜钱放入口内与茶同嚼，没一会儿功夫铜钱已成碎铜片了。据说只有白牛茶有此作用，白牛茶产在金秀瑶族自治县的金秀乡，采制成绿茶，外表灰绿。白牛茶中究竟含有哪些成分可与铜化合起到破碎作用，有待进一步的研究。

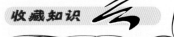**收藏知识**

紫砂胎红雕漆执壶

现代

他认为不同时期紫砂壶款式的特征是：万历年间，以欧体楷书刻于壶底；明清之际，刻名与印章并用；康熙以后，刻字减少，壶底用印外，或于盖内、把下盖印。罗氏还研究了紫砂壶的分期问题。他将历史上的紫砂壶分为明初及以前、明代、清代早期、19世纪早年至20世纪四个时期。

美国三藩市亚洲艺术博物馆的谢瑞华女士，对紫砂壶的有关分类、断代有进一步的研究。她将宜兴紫砂壶的发展历史分为以下几个时期：

草创期：16世纪以前，即从北宋中期到明代万历年间。宜兴羊角山出土的紫砂残片复原的器皿，是所见最早的紫砂壶实物标本。明代正德年间的作品多为自然形的树瘿壶，根据文献所载，这时期的代表人物主要是金沙寺僧和供春。

第一期：16世纪晚期到17世纪初期，即从万历年间到明代末年。这时期名家辈出，壶式千姿万态，特别注意筋纹器的制作，这种风气延续到18世纪以后。这个时期的代表人物是时大彬和徐友泉。

第二期：17世纪晚期到18世纪末，即从清康熙到乾隆晚期。自然形壶、几何形壶、筋纹器和小圆壶(即水平壶的前身)这四类壶型都有烧造，筋纹形壶已开始被自然形壶所取代，自然形壶受到欢迎。同时较注意壶面的装饰，更多在壶面施釉或加彩绘装饰。这一时期的代表人物是陈鸣

朱泥紫砂壶

明代

估　价：RMB 50 000～70 000

朱砂小品，以壶小色佳为最，自明末清初形成风尚，盛行至今。

胡公寿篆刻"铁骨生春"紫砂壶

清代

规　格：高6厘米

估　价：RMB 60 000～70 000

成交价：RMB 66 000

瓜棱诗文紫砂壶

清道光

规　格：宽17厘米

估　价：RMB 18 000～22 000

成交价：RMB 27 500

剔红饕餮夔龙纹紫砂胎茶壶

清乾隆

规　格：高10.5厘米　宽17厘米

估　价：HK$ 800 000~1 000 000

成交价：HK$ 1 394 100

远。

第三期：19世纪初到19世纪末，即从清嘉庆到光绪年间。这个时期文士与紫砂艺人交往甚密，出现了在壶上镌刻书画的风尚。紫砂壶的造型比较简单，为在壶的平面上施展才华提供了更大的自由。这一时期的代表人物是陈曼生和杨彭年。

第四期：19世纪末到20世纪中叶，紫砂壶的生产更为商业化，壶上开始印有店号标记。自然形、几何形、筋纹器和水平壶四类茶壶大量产销，精心制作的艺术性高的壶在减少，但也不乏佳作的出现。这一时期的代表人物是程寿珍和冯桂林。

第五期：20世纪中叶至今，即现当代。战乱多年以后，紫砂壶生产逐步恢复。四类壶型续有生产，新的品种日渐增多，仿古和创新兼备，在装饰上出现金丝银线镶嵌等新工艺，紫砂壶创作保持传统，推陈出新。这一时期的代表人物是顾景舟和蒋蓉。

一、草创期的造壶艺术

草创期是从北宋中期到明代万历年间，紫砂陶由此起源，是阳羡茗壶早期的光辉。宜兴陶人开始掌握紫砂泥的特性，能够制成泥片，而且吸收了宜陶缸、瓮和漆器、家具等其他器物的制作工艺，并逐渐形成了"捏塑法"、"打身筒"和"镶身筒"的基本成型方法，其至采用了造缸时借用模具辅助挡坯成型，故有"供春更斫木为模"、"胎必累按，故腹半尚现节腠"之说。当时的紫砂壶大都混于缸瓮陶窑附烧，故多有"飞釉"和"火疵"

等等毛病。

这时期的传器有1976年宜兴蠡墅羊角山紫砂古窑址发掘出来的平盖龙头双条把壶、高颈六方壶、平盖提梁壶和苏轼设计的提梁壶(又称东坡壶)以及供春制作的树瘿壶(又称供春壶)等，是宜兴紫砂壶的雏形。

宜兴羊角山紫砂古窑址出土的早期紫砂残片复原的三种紫砂壶，就是平盖龙头双条把壶、高颈六方壶和平盖提梁壶。色泽都是紫红色，表里均无釉。其泥料要比当时的粗缸泥细腻，但色泽单一，产品表里的致密度差，并且常有火疵现象，这是由于原料不纯、淘炼不精和烧时未用匣钵装套，以及还原气氛较重的原因。但从器物成型的工艺手法上，已经可以窥见明清紫砂壶的雏形。例如，在成型时已经脱离了陶轮拉坯法，开始采用泥片镶接法，而后者正是明清和现代紫砂壶的主要成型方法。至于壶嘴、壶把和的子的黏接方法，则采取了打洞捏塞法。又如六方形壶的壶颈头起线，壶嘴捏塑成龙头形，壶嘴根部的菱花纹饰，以及壶把上系带小孔的处理手法等等，都为后来紫砂壶造型风格的形成奠定了基础。

北宋大诗人苏东坡在蜀山讲学时，曾亲自设计一种提梁式茶壶，烹茶审味，怡然自得，有"松风竹炉，提壶相呼"的词

赵梁紫砂壶

明代

规　格：高20厘米　宽18厘米

此壶似蛋形，高脚、高颈、平盖，桃形钮，三弯流，扁浑提梁，制作秀丽。

仿供春龙带壶

明代

规　格：高9厘米　宽12厘米

壶呈浅褐色，砂质隐现。此壶造形似信明永乐甜白釉三系把壶的形制，并加饰龙带变化。龙带自壶口四周肩部由上而下地向左右两边展开，线而清晰。壶底刻有"大彬供春式"六字楷书款。

紫砂胎剔红山水人物执壶

明代

规　格：壶高130厘米　口径78厘米

估　价：RMB 150 000～210 000

老龙赐茶的传说

雁荡山属括苍山，山顶有湖，芦苇丛生，如同水荡，春雁归时，常宿于此，故名。龙湫茶产于雁荡大龙湫，山高三百八十八尺，飞瀑悬空下坠，银珠飞溅，声如震雷，在日光照耀下，五光十色，绚丽多彩，相传在东晋永和年间(345～365)，阿罗汉诺巨那率弟子三百居于雁荡。一天晚上，诺巨那曾梦见一位鹤发童颜的老翁，老翁对诺巨那说："感谢大师的恩德，使我在此山得以安居。"诺巨那不解，问道："我与您素不相识，言何感恩？"老翁回答："大师居龙湫，日常用水都倾于山地，从不泼在溪涧里，保全了山泉洁净。为报答大师的恩德，我特地赠给您茶树一株，让您终生受用。"诺巨那见老翁如此诚恳，便又问道："老丈尊姓大名？家居何方？愿日后有相见之时。"那老翁微微一笑"远在天边，近在眼前。若愿相见，就在明晨。"说罢，那老翁已脚踏祥云，飘然而去。

第二天清晨，诺巨那步出庙门，站在大龙湫背上举目四望，只见龙湫上端龙头哗哗吐水，远处山边又有龙尾若隐若现地摆动，一瞬间，不再复现。诺巨那恍然大悟，昨日托梦者，定是老龙化身。当他回到寺庙时，只见庭院中新长出一棵绿阴如盖的大茶树，枝叶繁茂。品饮此茶，浓香扑鼻，滋味浓郁醇和，这便是九雁荡的"龙湫茶"。

收藏知识

六瓣圆囊紫砂壶

明代

规　格：高9.6厘米　宽11.8厘米

此壶原是仿景德镇的明永乐竹节形把壶，壶身分六浅瓣，配似壶盖，壶嘴及壶把皆起筋纹。壶身分上下两节塑造而在壶肩相接。壶以黝黑紫砂制作，掺以金砂闪点。壶底刻有"大明正德八年供春"八字楷书款。

句。后人就把他设计的提梁壶称做"东坡壶"。坡公每当茶后，总要捧着这提梁壶玩赏一番。过了一段时间，"壶身久且色泽生光明"，他更觉奇异，视为珍宝。当初的茶壶呈砖瓦样的黄色，称之为"氏壶"，坡公有诗为证："青烟白菜炒米饭，氏壶天水菊花茶。"

苏东坡品茗赏壶的传世佳句还有《试院煎茶》诗："蟹眼已过鱼眼生，飕飕欲作松风鸣。蒙茸出磨细珠落，眩转绕瓯飞雪轻。银瓶泻汤夸第二，未识古人煎水意。君不见昔时李生好客手自煎，贵从活火发新泉。又不见今时潞公煎茶学西蜀，定州花瓷琢红玉。我今贫病长苦饥，分无玉盌捧娥眉。且学公家作茗饮，博炉石桃行相随。不用撑肠拄腹文字五千卷，但愿一瓯常及睡足日高时。"其描述茶、茶汤、茶具、茶效一气呵成，引人入胜。"瓯"为北宋茶器名，与茶罐等均为茶具别称。坡公在诗中提及"茗饮"、"一瓯"，此乃诗人与茶壶已达到日久相处、形影不离的境地了。

明代周高起在他著的《阳羡茗壶系》一书中说过，最早做宜兴紫砂壶的是湖金沙寺僧，逸其名。而清代乾隆年间的宜兴蜀山人潘埛(字士珩，号蘅溪)，博览群书，广辑剩辞遗语，在他

著的《滕帚续集·再考陶壶记》中有一段考证，大意是：(一)最早的陶壶作者不是金沙寺僧；(二)金沙寺僧能制陶壶是由蜀山三姑夫人庙僧传给；(三)三姑夫人庙僧制作的陶壶是北宋大诗人苏东坡择居蜀山时设计的；(四)关于苏东坡设计壶样叫庙僧作陶壶的事，引证了陶区民间传说和倪云林写真的《庙僧制壶图》，强调说明口碑载道是胜过捧唱的虚伪石刻及刻版文字的。此说证实了苏东坡设计提梁壶的传闻，确是有根据的。那么，苏东坡应该是文人雅士参与壶艺设计的第一人物。

时大彬款紫砂三足盖壶

明代

规　格：通高11厘米　口径7.5厘米

紫砂供春壶
现代
规　格：壶高10厘米

金沙寺僧，明成化、弘治年间宜兴湖金沙寺和尚，过去都不知道他的法名。《中国美术词典》《陶瓷篇》的《陶瓷家》栏目里曾提到供春于正德年间随侍主人到宜兴湖金沙寺，"向寺僧静智和尚学习炼土制壶技术，久经钻研，技巧纯熟精炼，后来以制壶为业。……""静智"会不会就是那位金沙寺僧的法名呢？据陶业中人说："僧闲静有致，时常和做缸瓮的陶工在一起，制壶选紫砂细泥捏成坯胎，用规范成圆形挖空其中腹，然后加上嘴、錾、的、盖，附在窑中烧成，大为人们所喜用"。寺僧所制的作品，在明、清两代的茗壶著作里都未见记载。看来寺僧当

紫砂橄榄壶
明代
规　格：高11厘米　宽12.5厘米
此壶形如橄榄，敦厚古朴，纯以造型取胜的代表作品。壶身饱满，线面简洁呈橄榄形。短嘴，高圈把下部垂耳，雄浑中气宇轩昂，颈部与壶口线融于一体。

时所制的壶，只是供一时之用，未必想借此留名，成壶史的功勋人物，故所制茗壶，既未款署，也不钤章。所以后世即使遇见他的作品，也不能辨识。寺僧制壶的方法也比较简单，所制式样，似乎只有圆形的一种，据说尝以指螺纹为标识。而供春则开始在壶上署名。紫砂壶的制造，从金沙寺僧到供春才大大地跨进了一步。这时期紫砂壶传世之作，见于著录但无款式的有三件：一是披云楼壶。披云楼藏紫砂大壶一件，发掘于佗城西郊明冢，杂于陶器之间。制作粗朴，身现大砂一颗，粗如青豆，四周釉泪斑驳，且现竹削纹，盖的无孔，全身现古瓷缸之银光色。底钦"阳羡制壶"章，篆法古奥。周高起《阳羡茗壶系》说万历五家之后，"壶乃另作瓦缶，囊闭入陶穴，故前此茗壶，不免沾缸釉泪。"此壶坯作陶缸质，复沾釉泪。纵非金沙寺僧所作，亦属初期作品无疑。其二是味茶庵壶。《蠡轩随笔》云：

苏东坡的提梁壶

苏东坡的品茶，如同其书法。他晚年并不得志，弃官来到蜀山，整天与茶壶相伴。

传说一天清早，东坡茶瘾一上来便赶紧烹茶，情急之中竟忘了放茶，一壶白开水冲了十来次。但奇怪的是，竟然茶香扑鼻。吃吃，味道蛮不错；舔舔，茶汁又重又厚。小书僮放完爆竹回家来欲泡茶，揭开盖子一看，居然没放茶叶。让人称奇的是，这样的"茶汁"苏东坡居然一壶壶吃过去！从此苏东坡相信宜兴紫砂壶是宝壶。于是他开始对做壶很感兴趣，自己亲自买来紫砂天青泥，这头拍拍、那头捏捏，就是做不像样，觉得做茶壶比吟诗困难得多，并感叹说："做好一桩事不容易啊！"苏东坡做壶的故事就这样流传下来。至于后人以"东坡壶"相称，那是人们为了纪念这位大文人，把他制作的提梁式紫砂壶称为"东坡提梁壶"，如同人们为纪念苏东坡而将西湖上的是堤坝命名为"苏堤"一样。

收藏知识

"予藏一砂壶，署味茶庵，乃大中之遗物也。"大中即正德年间隐居不仕的柳金，吴人，号安愚，又号味茶居士，室名味茶庵。其三是寒绿堂壶。此壶是彭年旧物，彭年是明代长洲人，字孔嘉，号隆池山樵，以诗词名世。寒绿堂壶后归袁世凯次子袁寒云，袁逝世后，此壶不知散逸何处?以上三壶，正和金沙寺僧、供春同时，但壶上没有署款，是否出于这两个民间艺人之手，有待于进一步查考。

据文献所载，明嘉靖至隆庆的五十年中，紫砂工艺有了初步发展，壶艺风格也日新月异。金沙寺僧、供春以后的制壶艺人，见诸于著录的，首先有董翰、赵梁、元畅和时朋四名家。董翰号后溪，所造茗壶一改寺僧、供春以来的古拙风格，他是最先创造菱花式茗壶的艺人。所谓菱花式壶，是仿菱角的四折瓣造成的八角形壶，而这种壶的外形，也可见诸唐镜和宋碗之中。此种菱花式壶，很可能就是以后发展为17世纪和18世纪初期所最流行的筋纹器造型的紫砂壶。赵梁，一作赵良，他的作品中多提梁式壶。据说明代砂壶中的提梁式，就是首先由他创制的。元畅，一作元(玄)锡、袁锡。关于他的姓氏，诸说不一。周高起《阳羡茗壶系》作玄锡；陈贞慧《秋园杂佩》作袁锡；周嘉胄《阳羡茗壶图谱》及吴骞《阳羡名陶录》作元畅，今从吴说。关于他的作品，尚未见有著录。时鹏，一作时朋。自周高起《阳羡茗壶系》以来，皆认为是万历年间壶艺大家时大彬的父亲，但

紫砂提梁壶

明代

规　格：通高17.7厘米　口径7.7厘米　底径7厘米　最大身围19厘米

也有人误以鹏为大彬之子。《阳羡茗壶系》对四名家的评价是"董文巧而三家古拙，乃供春之后劲也"。

在四名家以后有李养心，号茂林，也是万历时著名艺人。善于制作小圆壶，嘉庆《宜兴县志》说："妍妙在朴致中，世称珍玩。"他在兄弟辈中排行第四，故以"小圆壶李四老官"得名。所制茗壶，朴中带艳，但不加款式，仅朱书号记而已。陈贞慧《秋园杂佩》称他的作品风格别具特色，技术在"大彬之上，为供春劲敌"。据明人周高起考证，在李茂林以前，紫砂壶都"不免沾(缸坛)釉泪"，原因是各家壶坯都附入缸窑烧造，没有用匣

僧帽紫砂壶

明代

规　格：高5.5厘米　宽15.5厘米

壶呈赤褐梨皮色，器身略扁，嘴短而直，把环而小，腹上丰下削，平肩圆足，口内设堰圈，嵌盖，口盖紧密，钮扁而圆，肩上平面周围刻有一圈篆文十六字："浮霜冷月霁雨霄清流芳润渴止暑消冰。"可旋环倒读均成文。盖内有朱文"茂林"长方印记。壶底刻有："万历丁丑子京先生索，文嘉铭。"

僧帽紫砂壶

明代

规　格：高9.2厘米　宽9.4厘米

壶身作六角形的僧帽，从壶盖开始，整个壶分为六等分。壶冠分五瓣莲花，而第六瓣则改为流。平带形的把手在壶流的对面，壶把的上弯有一按指位，壶底刻有"万历丁酉年时大彬制"九字楷书款，即公元1579年作。

潮汕啜乌龙

　　乌龙茶既是茶类的品名，又是茶树的种名。在闽南及广东的潮州、汕头一带，几乎家家户户，男女老少，都钟情于用小杯细啜乌龙。啜茶用的小杯，称为若琛瓯，只有半个乒乓球大。用如此小杯啜茶，实是汉民族品茶艺术的展现。啜乌龙茶很有讲究，与之配套的茶具，如风炉、烧水壶、茶壶、茶杯，称之"烹茶四宝"。泡茶用水应选择甘洌的山泉水，而且必须做到沸水现冲。经温壶、置茶、冲泡、斟茶入杯，便可品饮，啜茶的方式更为奇特，先要举杯将茶汤送入鼻端闻香，只觉浓香透鼻。接着用拇指和食指按住杯沿，中指托住杯底，举杯倾茶汤入口，含汤在口中迴旋品味，顿觉口有余甘。一旦茶汤入肚，口中"啧！啧"回味，又觉鼻口生香，咽喉生津，"两腋生风"，回味无穷。这种饮茶方式，其目的并不在于解渴，主要是在于鉴赏乌龙茶的香气和滋味，重在物质和精神的享受。

菱花龙首紫砂壶

明代

规　格：高16.3厘米　宽19厘米

此壶呈四组菱纹，高口颈，盖拱用重叠线装饰，圆珠钮，龙嘴弯曲朝天，曲线把垂肩，泥色微紫，砂粒隐现点点铁质，全器工巧逼真，气势庞大。

友泉紫砂壶

明代

规　格：壶高7.7厘米

估　价：RMB 80 000~120 000

钵封闭起来，因而沾染了缸器的釉泪。从李茂林以后，"壶乃另作瓦缶，囊闭入陶穴"，从而防止了紫砂壶沾染釉泪的毛病。

以上五家中，赵、元、时三家，依然谨守供春以来的传统，变化不多。董、李两家，则另外开辟了文丽工巧的新途径，这是紫砂壶日后百品竞新的前奏曲。

这一时期的传器，见于著录的有上海潘氏的寿乐堂壶。潘氏即指潘恩(字子仁)和允端(字仲履)父子。两人都是嘉靖进士，所筑像园中有寿乐堂。定制的紫砂小壶，底镌"会向瑶台月下逢，寿乐堂制"十一字，盖内有"元江"小印。又披云楼藏一壶，壶底镌"聪涛"二字，盖内亦有"元江"小印。盖唇刻"留佩"二字。"元江"、"留佩"都未见著录，是一人还是两人，无可稽考。但嘉靖年间有传器可证的壶手，只有元江和留佩二家，

有壶手可考的传器，在国内也只此二件。日本东京的奥兰田著《茗壶图录》记有"又有以姑苏留佩四字为款识者，未详为谁"一语，则可知日本尚存有留佩遗器。这一时期的作品，还有1965年在江苏丹徒县新丰镇前姚村古井发现的一对带釉的玉壶春形注壶和1966年在南京中华门外马家山油坊桥吴经墓中出土的一件带盖紫砂提梁大壶。这两件作品是极可珍贵的年代可考的古壶。考古家、鉴赏家都认为是明代早期的真品。玉壶春形注壶，紫砂胎，其流纯用手捏，无执，壶身由底片、下半身、上半身和嘴喙接合而成，用竹压紧修平的痕迹十分明显。吴经是明嘉靖年间的司礼太监，卒于嘉靖十二年(1533年)。其墓中出土之壶，胎似缸胎，用细泥制成，造型精巧，壶上还有缸坛釉泪，但已接近成熟阶段。内部上下有相接的痕迹，与"腹半尚现节腠"之说甚合，但外部修工整齐，壶盖没有设唇，用一"十"字形泥条作固定位置，值得注意的是壶的修整圆滑，可见已用转盘加工，嘴的下部有一四瓣柿形泥片贴花和壶身相接，这一贴花除了装饰作用外，还具加固嘴与壶身的黏合作用，其手法与羊角山古窑出土的六方形壶相同，造型也与提梁壶相似，可见相互的承接关系。

二、明代的造壶艺术

明万历年间，宜兴紫砂工艺盛极一时，空前繁荣。许多良师名匠，毕智穷工，制成了很多别出心裁的产品，如茗壶、酒器、花盆、香盒、薰炉和文玩等。其时，紫砂壶已由日用陶进入到工艺美术品，形成了一个独立的工艺体系，步入中国特种工艺美术的行列。

相传供春曾经带过一个徒弟，供春把制壶技艺毫无保留地传给了他。这个徒弟就叫时大彬。

周季山制菱花式紫砂壶

明代

规　格：长15.4厘米

估　价：RMB 250 000~300 000

陈挺生开光飞龙紫砂壶

明代

规　　格：长16厘米

估　　价：RMB 180 000～200 000

"陈挺生制"铭。

时大彬，号少山，明嘉靖至万历间宜兴人。据李斗《扬州画舫录》载，时大彬乃系宋尚书时彦之裔孙。他的父亲就是四大名家中的时朋。父子相传，更有深厚的家学渊源。他对紫砂壶的泥色、形制、技法、铭刻等都匠心独具，有相当的研究和杰出的创造。艺术成就远远地超过了父亲，许多文献都认为"前后诸名家并不能及"，其地位居于"壶家妙手称三大"之首。周高起在《阳羡茗壶系》里写道："明代良陶让一时"，"一时"，就是指时大彬。后人所说的"时壶"，也就是指时大彬的作品。时

大彬所制茗壶，小巧玲珑，千姿万状。宜兴壶艺传至大彬，始蔚然大观，推为正宗。其造壶艺术光辉照耀着整个紫砂工艺的历史。从来吟咏紫砂壶的诗人，都把大彬和供春并论。林古度作《陶宝肖像歌》有"昔贤制器巧含朴，规仿尊壶从古博。我明供春时大彬，量齐水火抟埴作"之句。在陈维崧《赠高澹人以宜兴壶诗》有"宜兴作者推龚春，同时高手时大彬，碧山银槎濮谦竹，世间一艺俱通神"之句。又吴省钦《论瓷绝句》中有："宜兴妙手数龚春，后辈还推时大彬。"陈仲鱼《观六十四研斋所藏时壶》诗，有"陶家虽欲数供春，能事终推时大彬"之句。徐喈凤重修《宜兴县志》写道："供春制茶壶，款式不一，……继如时大彬，益加精巧，价愈胜。"在紫砂壶工艺史上，时大彬占着极其重要的地位。

紫砂玉兰花六瓣壶
明代
规　格：高8厘米　宽12.1厘米
估　价：RMB 270 000~320 000

孟臣款朱砂大壶
明代
估　价：RMB 40 000~60 000

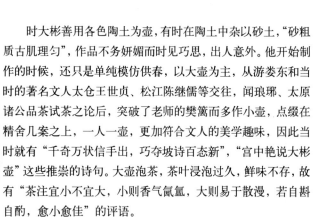

时大彬善用各色陶土为壶，有时在陶土中杂以砂土，"砂粗质古肌理匀"，作品不务妍媚而时见巧思，出人意外。他开始制作的时候，还只是单纯模仿供春，以大壶为主，从游娄东和当时的著名文人太仓王世贞、松江陈继儒等交往，闻琅琊、太原诸公品茶试茶之论后，突破了老师的樊篱而多作小壶，点缀在精舍几案之上，一人一壶，更加符合文人的美学趣味，因此当时就有"千奇万状信手出，巧夺坡诗百态新"，"宫中艳说大彬壶"这些推崇的诗句。大壶泡茶，茶叶浸泡过久，鲜味不存，故有"茶注宜小不宜大，小则香气氤氲，大则易于散漫，若自斟自酌，愈小愈佳"的评语。

紫砂壶的制作，在李茂林、时大彬以前，大致都仿照供春壶式，形制较大。从李茂林、时大彬开始，才改制小壶，当时耳目一新。把大壶改为小壶，是同当时社会上士大夫、文人的爱好有关的。时大彬壶多用粗砂制成，手法沉郁老健，胎质古雅匀净，"随手制作，颇极精工"。烧成以后，壶盖和壶口十

紫砂提梁壶
明代
规　格：高15米
估　价：RMB 12 000~15 000
"时大彬制"款。

三足紫砂壶
明代
规　格：高12米
估　价：RMB 2 000

分密接，据说抓住壶盖，即能吸起全壶，这是它的特点之一。壶身布满觳绉纹，"紫泥中有白点若花生果"，银光闪点，珠粒隐现，更觉光彩夺目，所谓"不务妍媚，而朴实坚栗，妙不可思。"清代诗人陈维崧有诗赞美他的作品道："有如香盒乍脱韄，其上刻画雌凫蹲。又如北宋没骨画，幅幅硬作麻皮皴。"据说，时大彬的茶壶，用以瀹茶，可以一点没有砂土气味。在明代万历年间，景德镇已成为中国瓷业中心，但当时讲究喝茶的人，对于景德镇所制瓷壶采取完全否定态度。许次纾在他所著的《茶疏》里写道："近日饶州所造，极不堪用。往时供春茶壶，近日时大彬所制，大为时人宝惜。"这样，时大彬的制品就成为万历年间全国最著名的手工艺品之一。王士祯在《池北偶谈》里写道："近日一技之长，如雕竹则濮仲谦，螺钿则姜千里，嘉兴铜器则张鸣岐，宜兴茶壶则时大彬，浮梁流霞盏则吴十九，皆知名海内。"甚至还有人认为几案间放上一具时大彬的紫砂壶，就足以"生人闲远之思"。可见他的作品，具有多么高度的艺术价值。

时大彬的创作态度，极其严肃，每有新作，如不惬意，即行毁弃，虽碎弃十有八九，亦在所不惜。以时大彬生前声誉之盛，地位之尊，推量起来，一生创作定然不少。其实不然。时大彬离今不过300年，而留存的作品却寥寥无几。在清乾隆年间，时壶已经视同稀宝了。

时大彬为人敦雅古穆，波澜安闲，令人起敬。其生卒年不详，但从出土传器及有关资料的综合分析，大约生于明万历初年，殁于清康熙年间，享年八十开外。据清代张叔未说，时大彬在清顺治十八年（1661年）时年岁已老。据推算这时他已高年八十有五。估计他的造壶艺术的全盛时代当在万历后期至明末。

原上海博物馆副馆长汪庆正先生认为，从各种文献的零星记载看，时大彬制壶的特点大约五个方面：(一)在用料方面，以粗砂为主，大都碙砂和制，致使"觳绉周身，珠粒隐隐"。总的说应是"砂粗质古肌理匀"。(二)时大彬所制壶，早期以大壶为主，晚期多制小壶，从已有记载看，有圆壶、扁壶、梅花式、僧帽式、菱花八角式等等。(三)在制作方法上，时壶为捏造车坯。

时大彬三脚如意壶
明代

紫砂兽钮壶

明代

规　格：高12米

估　价：RMB 1 000

陈用卿制紫砂壶

明崇祯

规　格：长16米

估　价：RMB 30 000～50 000

此壶风格朴实，壶壁刻铭："二月口山口，丁丑年，用卿。"据前人考证陈用卿的年代，丁丑应为1637年，即崇祯十年。陈用卿，明天启、崇祯间人，精于制陶，前人称其款识"落墨拙而落刀工"。

据传，在壶柄上有拇痕为标识。(四)绝无绘画装饰，以素面为主，很少诗文刻铭。少数在器盖上有印花装饰。(五)在款识方面，以"大彬"和"时大彬制"为多。早年请能书者落墨，由其本人用竹刀刻划，或以印记，后期他本人书法精进，能用竹刀随意刻写，多作楷书，运笔有晋唐小楷意。时壶似应或用题记，或用印章，不大可能有题记和印章并用的情况。

时大彬的传世珍品，有南京博物院所藏调砂提梁大壶，上海博物馆所藏扁壶，扬州博物馆所藏朱砂六方壶，北京故宫博物院收藏的紫砂胎包漆方壶和特大高执壶，以及美国三藩市亚洲艺术博物馆藏的瓜棱壶，香港茶具文物馆藏的僧帽壶等。

南京博物院所藏调砂提梁大壶，壶呈紫黑色，杂碉砂土，泛出星星白点，犹如夜空中的繁星。壶身作扁球状，直口，短颈，溜肩，直腹微鼓，大平底微凹。圆饼状盖，钮呈六棱帽的形，中穿一孔。提梁硕大，呈圆环状，正面起脊。器物整体造型以圆为基调，局部结构又以鲜明的棱线衬托，显示出制作技艺的高超。泥中含黄砂粒，俗称"梨皮"。壶身上小下大，形体稳定。六棱形的壶嘴与浑圆的壶体形成强烈的对比，是一件古朴雄浑的精品。壶盖口沿上刻有楷书"大彬"二字，在其左侧钤篆书"天香阁"方印。此壶当属大彬改制小壶前的作品，与供春壶大小相近。据陶瓷考古学家宋伯胤先生研究赏析，这件大彬款提梁紫砂壶之所以被人视为佳作，根据有三：

　　其一，坚致洗练的坯体，外观色泽呈紫色，表面且有极细小的针状砂粒，并不细腻。

　　其二，壶身成型工艺是用打身筒技法打成的，片子匀平而坚巧，提梁与壶嘴深受羊角山手法影响，都经过竹刀切削，呈多角形，边线劲直而有力。梁、嘴与壶身虽是镶接而成，但看不出钻塞的痕迹，浑然与壶身成为一体。提梁与壶身衔接处，虽因技术上的缘故，作者把它做得比整个提梁宽扁而厚实些，仿佛根植于壶的肩部，更增加了提梁的稳定性。壶身短颈上的压盖，做得工整规矩，准确紧凑，几乎是短颈的延伸，很难分开。

　　其三，壶的造型优美，有三点尤见其巧思：(一)底部大，平平地落在一个平面上。从肩以下，壶身逐渐溜圆，使造型的重心亦随之下移，从而在底部增加了足够的重力，也就增加了壶的稳定感。(二)提梁特别高大，拱起如虹桥。在壶身上部为人们留出一个一望无际的穹窿空间，"周接四海之表，浮于元气之上"。说它"接"，又说它"浮"，实际上是含有虚实的造意，好像是一个凹进去的自由空间。张守智教授还说："通过提梁的回转，构成壶体上部的虚空间，使整体舒展大方，增加了整个造型气势。提梁所形成的完整空间，亦增加了造型的装饰感"。(三)造型的基本构思是一个"圆"字，从正面看，圆圆的壶身和

邵文金制紫砂大壶
明万历
规　格：长19.2米
估　价：RMB 30 000～50 000
此壶工艺朴实，器形较大，具有典型的时代风格。"文金"款。邵文金，又名亨祥，万历时人，时大彬弟子，所制之壶，素为名士所重。

梅花紫砂壶
明末
规　格：高12米
估　价：RMB 1 000

也是很难烧成的。这样看来,这件提梁紫砂壶,在原料选炼、工艺过程和造型艺术三个方面所揭示的步骤方法、工艺条件以及制陶人的认知心理、洞察力和创造才能,都是十分宝贵的。这件提梁紫砂壶确是具有时代标志的一件标准器。

至于壶盖上钤"天香阁"方印的主人是谁,刘汝醴先生作过考证。他说在明清两代,有六个人是以"天香阁"作为室名的。并且说,六人之中,以明代李寄的"可能性要大些"。但制壶人署名、制铭或请制壶者钤章,都是在明清之际才逐渐出现的,而今"所赏者壶之形、质、风格、韵致",并不只专看款识。

扬州博物馆所藏朱砂六方壶,是1968年从江都县丁沟镇曹姓明墓中出土的,墓中伴出的有明万历四十四年(1616年)砖刻地

时大彬紫砂提梁壶

明代

规　格:高20.5厘米

估　价:RMB 300 000

壶唇外有楷书"大彬"二字,又刻有方印"天香阁"。

圆圆的提梁叠在一起,轮廓线相互交叉并受到阻断。因而使圆形的主体感分外强烈。如从上方俯视看,壶底是一个大的圆形轮廓线组成的平面,壶盖是另一个小圆平面,两个圆面重叠而构成壶身。壶钮的所在,亦即这两个同心圆的圆心的位置。这个作品的完成,除了创造性的心理活动之外,还必须借助科学方法和训练有素的眼力和手法。

此外,这件壶上如此规矩的提梁,成型极为不易。如果对紫砂泥的可塑性能和烧成温度没有精确的估算和有效的控制,

黄玉麟钮鱼化龙紫砂壶

清代

规　格:高10厘米

估　价:RMB 200 000

原壶缺盖,由俞国良配制。盖印"国良"。底印"黄玉麟"。

赵松亭紫砂仿鼓壶

清代

规　格:高9.5厘米

估　价:RMB 48 000

此壶制作精良,泥色滋润,造型清秀。盖印"支泉"。

时大彬制虎扁紫砂壶
明代
规　格：高6.2厘米
估　价：RMB 460 000
底款："源远堂藏，大彬制"。

腾飞紫砂壶
民国

紫砂刻竹提梁壶
民国

胡良与乌龙的传说

　　传说很久以前，福建省安溪的深山住着一位猎人，名叫胡良。有一天，胡良打猎后回家，正值烈日当空，天气炎热，他怕猎物暴晒变质，就随手摘下一些带叶的树枝遮在上面。回家后满屋清香扑鼻，他觉得很奇怪，于是四处搜寻，发现这香气是从他带回来的树叶中散发出来的。他试着将树叶用沸水冲泡后饮下，顿觉精神大振。于是立即连夜返回山中，采了好大一捆树叶带回家，马上用水煮后饮下，这次只觉得味道苦涩。这使他深为奇怪。经反复试验，胡良终于搞清了其中的奥秘：原来是应该先将树叶晾晒干后泡水才有清香味。从此便诞生了这种香茶，因当地方言中"胡良"与"乌龙"的读音很相似，人们为了纪念他，就将香茶取名为"乌龙"茶。

收藏知识

时大彬紫砂凤首印包壶

明代

规　格：高7厘米　长3.4厘米

估　价：RMB　420 000

券一方。整个壶呈赭红色，形制规整。壶身为六角形，盖为圆形，盖上有小圆顶，顶上有对合的半弧纹。壶嘴为不规则六角形直流，壶把为五角形变执。在壶的底部，顺着壶把至壶嘴的对直线上，刻有楷书"大彬"二字。风格古朴雅致，十分端庄。据宋伯胤先生赏析，这件朱砂六方壶的特征有三：

其一，它有明确的纪年。根据田野发掘记录，它是作为一件随葬品在万历四十四年四月被带入坟墓的。因而，这件六方紫砂壶的制成年代绝不会晚于万历四十四年。如果它是死者生前使用和喜爱的，那么，它的制成或许还要早上几年或十几年。

其二，它有作者名款。壶底竖刻"大彬"二字，用笔熟练，只是"大"字最后一捺，有点滞重，"彬"字三撇，起刀轻挑，然后用力下捺，落锋尖细轻浅。名下无私章，亦无纪年或其他文字题记。这和李景康说的：大彬作壶"从未见署款而兼盖章者"是相符的。

其三，其造型精粗并见，有继承亦有创新。这件六方壶的造型，虽在羊角山的发掘品看到过，或是一种历史较久的样式。但在时大彬手里，从砂壶的稳定感

出发，对它作了改进。首先，他把六片壶片笔直地镶在壶底外周，这比羊角山那些六角形壶稍稍内敛的底部要平稳得多。第二，他已注意到壶身、壶嘴与把的空间均衡，只是壶把向回转稍大了一点。第三，他已注意到壶嘴、壶把与壶口的取平，虽然并未达到"三平"的标准，但他把壶嘴的底部做得比把底高约1／4，用来增强平稳感。第四，他为这件壶身为六角形的砂壶，设计了一个圆形盖和圆锥形钮，这是不同于宋人传统的。按照盖与钮的造型要与壶形相协调的原则，这件紫砂壶的设计是不足为法的，但从收藏在北京故宫博物院的一件"大彬"款紫砂胎包漆方壶看，同样也是为方形配上圆形盖钮。或者这是大彬的"天圆地方"的宇宙观在陶器造型上的一种体观。第五，壶身素面无饰，也无文字题记。

这件朱砂六方壶是时大彬的晚年作品。它作为万历型标准器的根据是很充分的，是符合陶瓷工艺发展规律的。因此，这件朱砂六方壶，也就堪称为国之重器。

北京故宫博物院旧藏文物中，虽有不少时大彬铭款的宜兴紫砂壶，但大都很难确认其真伪。1978年，该院李久芳先生在整理明代雕漆器时，偶然发现一件外壳为明晚期雕漆、里胎是紫砂质的方壶，壶内底部中央有时大彬款，这是研究时大彬壶的又一重要实物。如果将这个包漆方壶与扬州的六方壶作一比较，虽然一为四方、一为六方，但从相同的短颈平盖，颈上为了呼应盖子厚度而起的弦纹，平小圆顶，壶嘴为了保持直流的造型，弯执把向上拱而下部稍平，壶身是肩比底较宽，可以令人相信两壶是同出于一人之手的。

上海博物馆所藏时大彬虚扁壶，调砂深

邵大亨束竹八卦纹紫砂壶

清代

规　格：高8.5厘米

估　价：RMB　180 000

此壶壶身为64根细竹围住，底有四足，每足8根细竹自壶而下。壶盖塑八卦，盖钮塑太极双鱼图，极内有两仪，盖钮间四纹，底面雕刻河洛星象纹，代表太极生两仪，两仪生四象，四象生八卦。后世亦称"易壶"。盖印"大亨"。

僧帽紫砂壶

明代

规 格：长17.5厘米

估 价：RMB 300 000~350 000

“正昌”款

碣滩茶的传说

碣滩茶产于湖南西部武陵山区沅水河畔的沅陵碣滩山区。碣滩茶历史悠久，距今已有1300年多年。传说唐高宗的第八个儿子李旦，被其母武后贬到辰州(今沅陵)，流落在胡家坪胡员外家，与员外之女胡凤姣产生了爱情。武后退位后，李旦回朝当了皇帝，即后来的唐睿宗。李旦称帝后不久，便差人接胡凤姣进京。官船由辰州东下，途至碣滩，凤姣品尝到碣滩茶，觉得甜醇爽口，十分欣赏，便带回朝廷，赐文武百官品饮，大家都赞不绝口。此后，碣滩茶被列为贡品，朝廷每年都会派人督制茶叶。

收藏知识

李仲芳制紫砂玉璧壶

明代

规　格：高4.6厘米

估　价：RMB 180 000

底款："从来佳茗如佳人　仲芳"。

紫砂壶

近代

规　格：高6厘米

估　价：RMB 5 000~8 000

紫色，即为"碉砂和制"、"珠粒隐隐"。胎薄而规正。造型构思尤见奇巧。壶体扁而不塌，口盖合拢成为一条圆浑的线条，与盖面的薄云线及壶身互相衬托，更富韵味。短嘴直而微弯，壶把成圆环形，巧致流利，若壶体上天然生成。其盖钮顶部为直穿孔，器底圈足之处理，十分精致。底镌题款"源远堂藏大彬制"七字，显然为晋人小楷笔意，尤以"堂"字和"制"字为最，绝非传世仿品呆板之楷法可比。这件造型完美的小壶，无疑是时大彬游历娄东之后所作。

美国三藩市亚洲艺术博物馆所藏的一件时大彬白泥瓜棱壶，壶呈淡黄色，扁瓜形壶身，形制工整，壶盖及的子都分为十八圆条形。据谢瑞华女士鉴赏，此壶的历史颇饶有趣味。壶底铭文是楷书"品外居士清赏，己酉重九，大彬"十二字。己酉是明万历三十七年(1609 年)，而品外居士是陈继儒的号，陈氏提倡用小壶品茶，时大彬受到他的影响，一改前习，专作小壶。这个款题"品外居士清赏"的白泥瓜棱壶，也就是时大彬专为陈继儒所作的小壶。

香港茶具文物馆所藏的一件时大彬僧帽壶，以调砂紫泥制成，结构严谨，这个壶上面有五瓣莲花冠，是代表五佛的，所以叫僧帽壶。此壶造型可上溯到明代永乐年间宜德窑宝石红僧帽壶。五方体的造型，底镌楷书"万历丁酉年"铭和"时大彬

成都盖碗茶

在汉民族居住的大部分地区都有喝盖碗茶的习俗，而以我国的西南地区的一些大、中城市，尤其是成都最为流行。盖碗茶盛于清代，如今，在四川成都、云南昆明等地，已成为当地茶楼、茶馆等饮茶场所的一种传统饮茶方法。

饮盖碗茶一般说来，有五道程序：

净具：用温水将茶碗、碗盖、碗托清洗干净。

置茶：用盖碗茶饮茶，摄取的都是珍品茶，常见的有花茶、沱茶，以及上等红、绿茶等，用量通常为3~5 克。

沏茶：一般用初沸开水冲茶冲水至茶碗口沿时，盖好碗盖，以待品饮。

闻香：待冲泡5 分钟左右，茶汁浸润茶汤时，则用右手提起茶托，左手掀盖，随即闻香舒腑。

品饮：用左手握住碗托，右手提碗抵盖，倾碗将茶汤徐徐送入口中，品味润喉，提神消烦，真是别有一番风情。

收藏知识

紫砂柿形壶

现代

制"刻款九字,这个壶的形状是源于西藏的金属水瓶。在永乐与宣德年间,内地与边疆文化交流颇为普遍,所以有很多西藏的器物造型运用到陶瓷作品上来。此壶形体富于节奏感,制作精细,五方的口盖任意调动都能准缝而合,体现了时大彬的造壶艺术和制作水平。

早在20世纪70年代,刘汝醴先生在《宜兴紫砂史》中曾把见于著录、图片和所见的时大彬传器一并罗列起来,总共有三十余种。

时大彬在紫砂史上所起的作用和影响极为深远。其原因除了他的艺术造诣高人一等之外,还和他致力于培养后一代,关系很大。明代紫砂工艺全盛时期的一些后起名手,不少出于时大彬的门下,一时声势浩荡,壶艺界几乎一半是时派的天下。时大彬给壶艺界培养了一批人才,并带动他们在明代创造了一个紫砂工艺的辉煌世纪。这份贡献,在紫砂史上,是值得特别记述的。在时大彬的许多门徒中间,李仲芳和徐友泉二人最为突出。

李仲芳,明万历间宜兴人,一说江西婺源人,生卒不详。他是名艺人李茂林之子,因为排行最大,人们叫他李大仲芳。他又是时大彬的门徒,而且"为高足第一"。名师传授,造诣很深,其艺术成就与师父不相上下,仲芳兼长家传与师承,他的制品渐趋文巧精工,技艺精湛。他仿造的大彬作品,几可乱真。《阳羡茗壶系》说:世所传大彬壶,也有仲芳作,大彬见而赏之并自署款的。所以当时人们就有"李大瓶,时大名"之说,传为美谈。清初人认为他的"小圆壶形制精绝,又在大彬之右。"紫砂壶的制

紫砂博浪椎壶

清代

规　格：高8.6厘米

估　价：RMB 180 000

此壶是晚清艺人韵石根据秦时张良派人在河南博望沙用椎行刺秦始皇的典故而创作。全壶用细泥调制粗沙,肌理精而不糙,造型酷似圆椎。

李仲芳制紫砂半葵壶

明代

规　格：高9厘米

估　价：RMB 250 000

"李茂林造"印章款。

徐友泉制紫砂圆壶

明代

规　格：高4.5厘米

估　价：RMB 60 000

直颈、直流、蝉肩、椭圆钮，鼓腹敛底，造型端庄大方。

作，到了李仲芳的时代，已经由简单朴素而渐趋文巧。究竟是应该复古，还是趋新?在当时的艺人中就有不同的争论。仲芳的父亲是主张复古的，极力"督以敦古"。仲芳是主张趋新的，不同意敦古的意见。他们父子之间在艺术上的争论是极其激烈的。据传，有一次仲芳做好一把紫砂茶壶，急急忙忙送到他的父亲面前问道："老兄，这个如何?"从此，人们就把仲芳制作的紫砂壶叫作"老兄壶"。据文献记载，仲芳"后入金坛，卒以文巧相竞。"可见他始终没有采取复古的论点。《阳羡茗壶赋》作者吴梅鼎评李仲芳壶有"仲芳骨胜而秀出刀镌"之语，可见其制壶技法的精绝。李仲芳的传器有《茗壶图录》卷下第十三页所刊仲芳梨皮泥壶一具，壶底铭文署"万历戊午秋日，九月望日为叶龛先生制。仲芳"十八字楷书款。又有梨皮色中壶一具，盖大而圆，壶底署"李仲芳"三字楷书。香港艺术馆也曾刊出李仲芳所制的瓠棱壶，壶底镌铭"从来佳茗似佳人"，并署"仲芳"楷书款。

海棠红、朱砂紫、定窑白、冷金黄、淡墨、沉香、水碧、榴皮、葵黄、闪色、梨皮等各种色调。文献评介他的作品是："种种变异，妙出心裁。"但他自己并不满足于已有的成就，他自己曾说过"吾之精，终不及时之粗也"的话，可见对于他的老师是极为倾倒的。

徐友泉创作的紫砂壶，造型式样较多，据说仅为吴氏一家所制之壶，已不下数十种，但留传迄今的却十分稀少。友泉精研壶艺，且对壶泥色彩和茗壶式样，多所发明，多所创造。吴梅鼎在《阳羡茗壶赋》中写道："若夫综古今而合度，极变化以从心，技而进乎道者，其友泉徐子乎!"把徐友泉称作穷变化、

徐友泉，名士衡，明万历间宜兴人，一说江西婺源人。生卒不详。他不是陶家出身，但有造型艺术天才。他在紫砂工艺的泥色调配品种的丰富多彩方面，有杰出的贡献。在早年时候，有一次，他的父亲邀请时大彬到家里作客，友泉恳请大彬塑造一只泥牛，大彬没有立即答应他。友泉即拿着紫砂泥走出门去。恰巧大树下趴着一只牛，将起未起，尚屈一足。友泉注视着这一瞬间的现象，塑成一只栩栩如生的泥牛，造型生动。时大彬见了极为叹服，当即赞赏道："如子智能，异日必出吾上!"从此，徐友泉就拜时大彬为师，学习制壶技艺。

徐友泉善于配合色土，喜欢仿效古器物尊、罍的形制，他的作品总是别出心裁，变化多端，"毕智穷工，移人心目"。其壶有汉方、扁觯、小云觯、提梁卤、蕉叶、莲方、菱花、鹅蛋、分档、索耳、美人睡莲、大顶莲、一回角、六子等款式。泥色有

徐友泉制紫砂圆壶

明代

规　格：高5.2厘米

估　价：RMB 40 000

此壶造型大方，泥色匀净，口盖平整，合缝严密。流短粗，矮圈足，腹微鼓，气质雅静。

集大成的一代宗匠，可谓备极推许了。汪文柏在《陶器行赠陈鸣远》诗中有句写道："荆南陶器古所玩，问谁作者时与徐"。可见徐友泉不仅一时被人称重，到了后世，还有人把他和老师时大彬并称。

综合徐友泉创作的紫砂壶式样，可以分为八类：(一)模状花木瓜果类。有蕉叶、莲花、菱花、大顶莲、冬瓜段、竹节、束腰菱花、平肩莲子、合菊、荷花、芝兰诸式。(二)模仿古器类。有扁觯、云罍提梁卣、螭觯、汉瓶、小云雷、篆珥诸式。(三)模状日常用具类。有僧帽、分裆、扇面方、芦席方、诰宝诸式。(四)模状人物类。有美人肩、西施乳诸式。(五)模状动物类。有天鸡、番象鼻、蝉翼诸式。(六)圆形类。有圆珠、鹅蛋诸式。(七)方形多角类。有汉方、橄榄六方诸式。(八)其他类。有索耳、一面角、六子、柄云诸式。

徐友泉的传世器物有：一、失盖紫砂壶，形扁，壶底署"友泉"二字真书。二、褐砂中壶，式度质朴，壶底镌刻"戊午仲冬，徐友泉制"八字真书款。三、香港茶具文物馆藏紫砂虎錞壶，壶底署"万历丙辰秋七月，友泉"九字楷书款。四、香港茶具文物馆藏仿古盏形三足壶，壶底署"友泉"二字。

据说，徐友泉的儿子也是一位著名的制壶艺人，当时就有"大徐小徐之目"，可惜，他的儿子没有传下名字来。

和上述"三大"同时或稍后的名工巧匠，有时门弟子欧正春、邵文金、邵文银、蒋伯荂、陈俊卿、沈君盛、陈信卿、陈光甫、陈子畦等。还有所谓别派艺人邵盖、周后谿、邵二孙三家以及陈用卿、陈仲美、沈君用、项圣思、惠孟臣等著名艺人。他们争奇斗巧，借用历代陶器和青铜器、玉器的造型纹饰，制作了许多超越前人的作品。他们的作品间有流传，都为人们所宝重爱惜。

徐友泉紫砂三瓣三足（禾皿）形壶
明代
规　格：高12.5厘米
估　价：RMB 220 000

时门弟子的壶艺风格：欧正春，多模仿塑造花卉景物形象，"式度精妍"。邵文金，又名亨祥，仿造时大彬"汉方"，独具特技。邵文银，又名亨裕，制作文巧，饶有时门风格。传器有四具紫砂壶，式度大略相同，泥色淡墨，身形微扁，肩圆，四旁光泽，底平，惟腹部微小。壶底有"邵亨裕制"篆书阳文方印。蒋伯荂，名时英，也是时大彬弟子。初字伯敷，后作客娄东，陈

黄玉鳞仿供春树瘿紫砂壶
清末民初
估　价：RMB 220 000

紫砂南瓜壶

明代

规　格：高8.2厘米

此壶为陈鸣远之父陈子畦所作，现藏于香港中文大学文物馆。瓜腹，叶流，蒂盖，象生组合，生机盎然。

眉公为其改敫为岑。他的作品"坚致不俗"。相传蒋伯岑的作品中，有一些是当时文人项墨林所设计并刻有他的书画，称为"天籁阁壶"，更为名贵。张燕昌在《阳羡陶说》中写道："墨林以贵介公子，不乐仕进，肆其力于收法名画及一切文房雅玩，所见流传器具，无不精美。"蒋伯岑的传器有二：一、六角中壶，式如宫灯，色泽深紫，陈眉公题四言诗四句，分书于六面壶身，且代为书款。二、在新加坡香雪庄月英雄壶一具，刻镂树叶，上鹰下熊。陈俊卿，明天启、崇祯间人。也是时大彬弟子。沈君盛，明天启、崇祯间人。善仿徐友泉壶，为时大彬再传弟子。制壶参酌沈君用的技法，品种十分丰富。

以上诸人之外，更有追慕时大彬，私淑李仲芳、徐友泉的，也应列入时门的派系，他们是：陈信卿，仿时大彬、李仲芳诸器，颇能乱真。传器有香港艺术馆

杨凤年制矮竹古壶

清代

估　价：RMB 70 000

底圆印"杨氏"。杨凤年是曼生派中唯一的女紫砂名家，她的作品风格多样，构思巧妙，深受当时文人、官僚们青睐。

藏紫砂梨皮开光方壶，壶底镌"翠竹轩，信卿"款。陈光甫，仿供春、时大彬制品，已近神似，有入室之誉。可惜很早就瞎了一双眼睛，因而制作不很端致，"然经其手摹，亦具体而微矣。"故所仿制，颇得其妙。文献上还说他"技术进乎道矣！"项不损，名真。明时国子监生，能诗能文，制壶朴雅，书法有晋唐风格。

万历以来，著名的壶工，同时也努力于书法艺术的追求。书法几乎为壶艺的一个组成部分。在壶艺界提倡书法，时大彬是个首创者。时大彬在书法上的成就，影响所及，首先是他的学生和本派中人，名家著述中都有记载。如："李仲芳亦合书法，时代大彬刻款"。"仲芳刀法遒劲"。"徐友泉笔法类大彬，虽小道，洵有师承矣"。"陈子畦楷书有晋唐风格"。"沈子澈刻款极古雅浑朴"。别派诸家在书法方面也有不少造诣深厚的人，如："陈用卿款仿钟太傅帖意，落墨拙而落刀工"。"用卿款，书法在行草之间"。"项不损字法晋唐"。"徐次京擅

陈鸣远紫砂南瓜壶

明／清

规　格：高10.5厘米

估　价：RMB 380 000

此壶为九瓣瓜体，卷叶流，短而直，流口呈斜坡形。瓜蒂盖钮，钮出四棱，钮色干黄。平底墩式。

八分书楷书……笔法古雅，而郑宁侯，书法亦工"。书法上成就较高的当推惠孟臣，著录中记述也最多。《阳羡名陶录》说："孟臣笔法，绝类褚河南"。"楷书有晋人风格。行书敦朴，纯用中锋"。可见惠孟臣确是书法能手。

　　明代紫砂艺人中，还有一些善于镌刻壶款的名手。如陈辰，字共之，因为他"工镌壶款，人多假手"，周高起称他为"陶家中书君"。传器有香港茶具文物馆所藏长方扁壶一具，款题"芳香满间轩，共之"七字楷书。还有汪大心，字体兹，安徽休宁人，曾经替时大彬镌刻茗壶款识，"书法闲雅，在《黄庭》、《乐毅》帖间，人不能仿"。名艺人李仲芳也能书刻，经常代时大彬刻款，但较汪大心的手法则相形见绌。

　　陈子畦，明天启至清康熙间人。制品仿友泉壶最佳，为时所珍。他也是以"小壶精妙"而著称的名手，作品多紫泥，胎薄而工颇精。楷书有晋唐风格。传世作品有北山堂藏一南瓜壶，以瓜柄为壶盖，以虫畦瓜叶卷成壶嘴，以瓜藤为壶把，整个壶身是自然的瓜形。据说陈子畦是陈鸣远的父亲，他以擅作虫蛀残叶见称，而陈鸣远则更将自然形的紫砂壶制作水平，提高到出神入化的地步。香港艺术馆刊陈子畦传器有四：一、残荷湖蟹，属于玩器。二、紫砂南瓜壶。三、石榴冰滴。四、盘螭水洗。《阳羡砂壶图考》所记圆珠式壶及扁花篮壶，壶底均镌刻"陈子畦"三字楷书。

　　所谓别派艺人，即在万历年内，在时大彬派系之外，见于著录的制壶名手有邵盖、周后谿、邵二孙三家。邵盖制壶工巧，与时大彬同时而自树规模。传器有紫砂大壶二柄，俱作扁花篮形，壶底署"邵盖监制"阳文篆章，书法与邵亨裕、邵亨祥章相类。诸邵同属一家，故世有"邵家壶"之称。周善制小壶，汉

紫砂彩釉暖炉组壶

清代

估　价：RMB 18 000

此炉此壶，瑰丽堂皇，纹饰精美，是难得一见的彩釉紫砂。

紫砂人物壶

现代

此壶造型别致，泥色纯正，人物刻划优美生动。

陈鸣远紫砂无垢壶

明／清

估　价：RMB 280 000

"陈鸣远"阳文篆书方印。

扁、汉方为其代表作，妍妙在朴致中。邵二孙制壶，手段不凡，他博采众家之长，作品千姿百态，件件不同，世称"方非一式，圆不一相"。除时门弟子、别派艺人之外，明天启以后的紫砂艺人也不乏名手。如陈用卿、沈君用、陈仲美、沈子澈、项圣思、惠孟臣诸名家。这些后起之秀的作品，有的"格调高古，韵致清绝"，有的"重镂叠刻，巧夺天工"，给紫砂工艺的灿烂盛期，增添了许多光彩。

在别派后辈诸家中，以陈用卿的声誉最高，他是与蒋伯䒢技艺相当而又同时著名于壶艺界的名家。陈用卿行三，富有劳动人民刚强耿直的气质，曾因得罪衙吏官绅，一度致陷狱中。文献上说他"负力尚义，尝吏议在缧绁中"。当时很多人不了解他，因此称呼他为"陈三呆子"。陈用卿善制大壶，式尚工致，丰满自然。所造莲子、汤婆、钵盂、圆珠等式样，不用规矩准绳而自然圆整妍饰。款仿钟太傅帖意，落墨拙而用刀工。吴梅鼎《阳羡茗壶赋》评论用卿壶艺，以浑成醇厚称之。其艺术水平仅次于时大彬。明人张岱在《梦忆》中也评说："宜兴罐以龚春为上，时大彬次之，陈用卿又次之。"由此可见他的壶艺地位，早有定论。其传器有三：一、淡墨色紫砂圆壶，如半环，盖小的圆，壶身镌刻"秋水共长天一色丁卯用卿"十二字。丁卯即明天启七年，其书法仿钟繇，落墨拙而用刀工者，即指此壶。二、紫色大壶一具，造工朴拙，壶身镌刻"山中一杯水，可清天地心。用卿古式"句，书法在行草之间。三、香港茶具文物馆藏弦纹金钱如意壶一具，壶身镌刻草书署"丁卯年。用卿"款。

陈鸣远紫砂方型壶

明／清

估　价：RMB 220 000

"陈鸣远"篆书印。

紫砂圆壶

明代

规　格：高12.8厘米

估　价：RMB 50 000

此壶摹仿时大彬壶，但明显生嫩、刻板。缺盖。系明代早期制品。

陈仲美，江西婺源人，原是景德镇的制壶名手，工仿古窑器，后慕名到宜兴改业紫砂陶。他的作品，别具一格，所制茗壶，都摹状花果，并缀以草虫为其特色。伸爪出目的"龙戏海涛"尤其出名。茶具之外，他又做过许多文房雅玩，如香盒、花杯、狻猊炉、辟邪、镇纸、鹦鹉杯等陈设物品，都极精工，"重镂叠刻，细极鬼工"，大大开拓了紫砂陶的制作范围。陈仲美实际上是一位雕塑能手，他把瓷雕与紫砂壶艺相结合，其作品匠心独运，不仅施展了瓷雕的绝技，在紫砂壶上附加陶刻艺术的美学要素，重镂精琢，为之增华；而且又擅长塑造，曾塑紫砂"观音大士像"，庄严慈悯，神采焕然，璎珞花鬘，不可思议，把紫砂工艺向塑造艺术推进，为紫砂陶增添了新的光辉和华彩。所可惜的是这位"智兼龙眠、道子"的艺术家，竟以"心思殚竭，以夭天年"。吴梅鼎称颂其壶"巧穷毫发"，周伯高将他的作品列为"神品"。传器有香港艺术馆《宜兴陶艺》刊载：一、束竹柴圆壶一具，款署"万历癸丑陈仲美作"八字楷书。二、紫砂犀牛一尊，镌"陈仲美制"阳文小篆印。又，苏士比刊陈仲美作品十一件，多有阳文小篆印"陈仲美制"署款。又有题镌年代"天启"者四不象异兽一尊。三、天启甲子四年天鸡壶一

紫砂圆提壶
明代
规　格：高19.3厘米
估　价：RMB 50 000
此壶鼓腹，弯流，佛钮，平盖，圆形提梁。工法疏简，风格恬淡。口盖合缝严密，弧面收放自如，表现出很高的艺术功力。

紫砂描金方壶
清代
规　格：高9.4厘米
估　价：RMB 48 000
此壶桥形钮，三弯流，四足方正。壶盖饰描金卷草纹，壶颈饰描金回纹，蝉肩方体，方中有圆，圆中寓方，整体造型富丽堂皇。底款"乾隆年制"阳文篆书四字二行。

具。四、饕餮六角壶一具。五、辛酉年饕餮尊一件。另，香港中文大学文物馆盉形壶一具，壶底有"陈仲美"楷书刻款。

继陈仲美而起的另一名手是沈君用，名士良。所制茗壶式色，上承欧正春一派，又近陈仲美风格。作品多浮雕，玲珑透剔，形象逼真；而且善于调配壶土，"色象天错"烧成器皿，有"金石同坚"之美。其制品造型，"不尚正方圆，而笋缝不苟丝发"，他未成年时即初露才华，就以艺术精湛离奇而著称，因此时人称他为"沈多梳"。多梳，就是童年垂髫，还没有束发成年

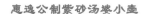
惠逸公制紫砂汤婆小壶
清代
估　价：RMB 50 000
此壶三弯流俊秀清旷，壶体圆浑恬宁，壶盖朴淡古秀，壶钮苍郁滂沛。工艺精湛，选泥严谨，焙烤适度，色度晶莹。底款草书"逸公监制"。

紫砂合菊壶

清代

规　格：高9厘米

估　价：RMB 22 000

泥色天青，色泽柔和，泥质滋润。菊瓣被作者抽象成几何线条，上下覆合，造型近似汉扁和合盘。

的意思。但他因用脑过度，不幸过早去世。据文献记载："巧殚厥心，以甲申四月天。"甲申是崇祯十七年。《阳羡茗壶系》称仲美、君用所制砂器为神品，并对这两位艺人英年早逝，深感惋惜。《阳羡砂壶图考》载沈君用的传器有红泥粗砂小壶一具，流短而墼反，制作极精，壶底镌刻"大明天启丁卯君用制"楷书三行。丁卯年即天启七年（1627年）。

沈子澈，明崇祯间浙江桐乡人。善制茗壶、文具，与时大彬齐名。所制壶典雅浑朴，巧夺天工。曾为人制菱花壶，镌铭："石根泉，蒙顶叶，漱齿鲜，涤尘热"。《阳羡名陶录》称"子澈实明季一名手也"。《桃溪客话》云："子澈胜国名手，至其品类，则有龙蛋、印方、云罍、螭觯、汉瓶、僧帽、提梁卣、苦节君、扇面方、芦席方、诰宝、圆珠、美人肩、西施乳、束腰菱花、平

紫砂壶

近代

紫砂大壶

明代

规　格：高25厘米

估　价：RMB 22 000

流短粗，折肩，筒身，形制较规整。缺盖。现藏镇江博物馆。

紫砂壶早期印款鉴赏

　　紫砂壶落款通常在三个部位，壶盖里面钤名章；把梢钤姓章；壶底钤姓名章。也有盖内二方印，把梢二方印，姓和名并用。也有印或刻并用的，也有根据壶的形态及装饰在壶体相应部位上钤印和刻款。

　　早期紫砂壶刻款，有竹刀、金属刀刻款之区别。竹刀刻款泥会溢向两边，高出平面，留有痕迹。金属刀刻款，刻印痕在泥平面以下，刀痕干净、利索。

　　紫砂壶款识，概括起来有：人名款、纪年款、壶号款、纪念款、图案款、闲章款、地名款、古语款、诗词款等。

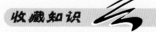
收藏知识

紫砂荷花壶（一套）

清代

规　格：高10厘米

估　价：RMB 100 000～120 000

成交价：RMB 132 000

肩莲子、合菊、……蝉翼、柄云、索耳、番象鼻、鲨鱼皮、天鸡、篆珥、海棠、香合、鹦鹉杯、葵花、茶洗、仿古花樽、棋花缻、十锦杯等，大都炫奇争胜，各有擅长，始举其十一耳。"可见子澈制作，善仿友泉，其壶式也多相类同。传器有长方壶一具，錾、嘴、的俱方，造型古雅，壶底有"沈子澈制"阳文篆书方印。美国华盛顿弗里尔艺术馆藏有葵花棱壶一具，有"崇祯壬午"铭。

徐令音，也是明代名艺人，有人说他就是徐友泉的儿子"小徐"。徐喈凤编《重修宜兴县志》里把徐令音与徐友泉、陈用卿、沈君用同列为明代制壶名艺人，想必其造诣在伯仲之间。传器有香港苏士比公司出版的《宜兴陶器》所刊一具鱼头水盛，底镌"徐令音制"阳文小篆章。

项圣思，虽不见史载，但技艺精湛，以书法篆刻见长，为明末清初时候的巧匠。所遗精品紫砂桃杯，现藏南京博物院。杯呈朱砂紫色，劈半桃为杯，枝作把手，枝叶缠蔓，桃叶脉络毕现，精巧玲珑，技艺独绝。这是宜兴紫砂器中极为少见珍品。桃杯口外沿刻七言诗两句："阆苑花前是醉乡，拈翻王母九霞觞。"出自唐代诗人许碏的《醉吟》。作者为桃杯选配的诗句，不仅很好，很准，且能洞察到作者的"胸中丘壑"。这件紫砂桃杯也就

成了一首无声的诗，更加耐人寻味。口沿诗下署"圣思"二字，并钤"圣思所作"阳文小印一枚。圣思，何许人也？是题写诗句的文人，还是制作陶杯的艺匠，答案就在后人配制杯托的题记中。题记作于1924年，现全文抄录如下："圣思"相传为修道人，姓项，能制桃杯，大于常器。花叶干实无一不妙，见者不能释手。廿年前，简翁得此于燕市，归而宝之。杯底叶小损微跛，名手裴石民，时方以第二陈鸣远名于世，善为前人修旧。昨年用宾虹老人之意，为供春壶重配盖。今岁复以鄙请，为此杯加一托，中虚而涵纳之，趾乃定。遂为之记略，兼扬其绝艺，以光于陶史为二美。"简翁即宜兴储南强，此杯于1952年献给国家收藏。

惠孟臣，明天启、崇祯间宜兴陶人。精制茗壶，形制浑朴，而小圆壶则更精妙。其壶以竹刀刻款，以盖内有"永林"篆书小印的为最精。其作品用朱泥、紫砂的多，用白泥的少；制作小壶多，中壶少，大壶最罕。惠孟臣在清代人的著述里，都不

紫砂月壶

清代

估　价：RMB 22 000

此壶鼓腹，圈足，腹部饰回弦纹，简俊莹洁。选料纯正，制作精良。

诰宝壶

现代

详其姓，只知其名。对于他的壶艺评价也很不一致。张燕昌说："余少年得一壶，底有真书'文杏馆孟臣制'六字，笔法亦不俗，而制作远不逮大彬……"由此看来，孟臣不过是一个普通壶工而已。但《阳羡名陶录》则说："余得一壶，底有唐诗'云入西津一片明'句，旁署'孟臣制'，十字皆行书，制浑朴而笔法绝类褚河南，知孟臣亦大彬后一名手也。"近数十年，惠孟臣的作品发现了不少，在听泉山馆有白砂大壶一具，底钤"大明天启丁卯荆溪惠孟臣制"楷书十二字，才把惠孟臣的姓氏、籍贯诸问题，作出了解答。

惠孟臣的制品，大壶浑朴，小壶精妙，尤以小壶出名，这就是后世水平壶的前身。这些小壶可圆可扁，亦可束腰平底，大为时人所赏识，如蔡寒琼、潘如庵、不耽阁主人、听泉山馆主

紫砂壶

现代

估 价：RMB 5 000~8 000

兽钮紫砂提梁壶

近代

估 价：RMB 5 000~12 000

人、披云楼主人、碧山壶馆主人和部分日本的藏壶家，都藏有孟臣的制品，声誉因之日盛。美国新泽西州的纽沃克博物馆藏有一个朱砂孟臣壶，壶嘴和壶柄曾破裂，被日本人用金漆修补。孟臣壶在华南一带流行最多，但伪托的特别多，如不是精于鉴赏的人，很难辨别它的真假。1975年广东陆丰县发现的明末清初黄霖墓中，曾出土一件孟臣壶。惠孟臣死后三百年，许多有孟臣款的小壶还不停出现，甚至不限于宜兴一地仿造。惠孟臣制的紫砂壶，有早到明天启时代的，也有晚到清雍正二年的，是其后人继续造壶，沿用孟臣的名款及印章的，直到现在还有，可见他的小壶是多么受欢迎。

孟臣壶传器较多，有署"文杏馆孟臣制"楷书款的茗壶。《宜兴陶器图谱》还刊出多项传器：一、小壶一具，粗砂，反翠朱色沙梨皮，底镌"大明天启丁卯孟臣制"九字，楷书。二、大壶一具，白砂，制作古雅，底镌"大明天启丁卯。荆溪惠孟臣制"楷书十二字。三、朱泥壶一具，全身现沙梨皮，底镌"惠孟臣制"四字楷书。四、朱泥大壶一具，肩膊处縠罗纹甚精，底钤楷书方印"惠孟臣制"。五、白泥微黝大壶一具，底钤篆书方印"惠孟臣制"。六、朱泥中壶一具，色泽鲜丽，薄胎幼土，式度妍雅，周身縠罗隐现，巧不可言，底镌楷书"水浸一天星孟臣"七字。七、朱泥小壶一柄，周身縠罗纹隐现，底镌"叶硬经霜绿。孟臣制"八字，字在行草之间，笔势灵动，竹刀刻，非明眼人不辨。又，香港艺术馆刊孟臣

紫砂抛光独钮壶
明代
估 价：RMB 150 000
此壶系明末清初时期制品，表面抛光以及螭形提梁，在以往的名人作品中很少见到，这对研究中国工艺品表面加工历史有很大价值。

济公壶
现代
规 格：高11.3厘米
此壶由咸仲英、陆巧英夫妻合作，用紫泥制作，呈深褐色。壶身刻："积善除魔济颠僧冰心。"底钤"冰心、巧英伉俪合璧"八字印款，盖内有"神壶斋仲英巧英合璧"八字印款，盖内有"神壶斋仲英巧英合璧"长方小章，把梢下有"咸"、"陆"二字腰圆印。

金蟾紫砂壶

清代

规　格：高11.8厘米　宽21.4厘米

此壶壶身圆柱形，上下有圆线装饰，下置三只如意纹足，形亦巧妙，嘴塑龙形三弯朝上，把为龙把喷水朝下，虚嵌盖，上塑三足金蟾，金蟾口含一珠，执盖摇晃可发出叮铃之声，颇为奇妙。

维吾尔族的香茶

　　主要居住在新疆天山以南的维吾尔族，他们主要从事农业劳动，主食面粉，最常见的是用小麦面烤制的馕，其色黄，又香又脆，形若圆饼，进食时，总喜与香茶伴食，平日也爱喝香茶。他们认为，香茶有养胃提神的作用，是一种营养价值极高的饮料。

　　南疆维吾尔族煮香茶时，使用的是铜制的长颈茶壶，也有用陶质、搪瓷或铝制长颈壶的，而喝茶用的是小茶碗，这与北疆维吾尔族煮奶茶使用的茶具是不一样的。通常制作香茶时，应先将砖茶敲碎成小块状。同时，在长颈壶内加水七八分满加热，当水刚沸腾时，抓一把碎块砖茶放入壶中，当水再次沸腾约5分钟时，则将预先准备好的适量姜、桂皮、胡椒等细末香料，放进煮沸的茶水中，轻轻搅拌，经3~5分钟即成。为防止倒茶时茶渣、香料混入茶汤，在煮茶的长颈壶上往往套有一个过滤网，以免茶汤中带渣。

　　南疆维吾尔族喝香茶，习惯于一日三次，与早、中、晚三餐同时进行，通常是一边吃馕，一边喝茶。

收藏知识

　　小壶四件，皆为仿品，其年代自雍正二年迄清末，可见孟臣小壶流衍之久远。而今赝品亦多，且书法拙硬，不像原器那么秀娟而不离唐贤风格，仿制者虽精，书法终究不能相比。

　　明代万历、天启、崇祯三朝、特别是万历年间，制壶名手风起云涌，盛极一时。对于这些艺人的评价，各人有各人的看法。如明人张岱《梦忆》里说："宜兴罐以龚春为上，时大彬次之，陈用卿又次之。"明人陈贞慧《秋园杂佩》里说："时壶名远甚，即遐陬绝域犹知之。此后如陈壶徐壶，皆不能仿佛大彬于万一矣。"惟"小圆壶李四老官在大彬之上"。清人陈浏在所著《匋雅》里则推许时大彬、李仲芳、徐友泉、陈仲美、陈俊卿五人。清人吴梅鼎在他所著的《阳羡茗壶赋》里也作过总的评价，现抄录如下：

　　"(供春)信陶壶之鼻祖，亦天下之良工。过此则有大彬之典重，价拟璆琳；仲美之瑰琦，巧穷毫发；仲芳骨胜而秀出刀镌；正春肉好工疑刻画。求其美丽，争称君用离奇；尚彼浑成，金曰用卿醇饬。若夫综古今而合度，极变化以从心，技而进乎道者，其友泉徐子乎！"吴梅鼎赞许徐友泉，但明人周高起则推崇时大彬。他赞许时大彬"标大雅之遗，擅空群之目矣。"他把明代这些造壶名家，根据艺术标准，分别等级，归纳如下：

　　创始：金沙寺僧；

　　正始：供春、董翰、赵梁、袁锡、时朋、李茂林；

　　大家：时大彬；

　　名家：李仲芳、徐友泉；

　　雅流：欧正春、邵文金、邵文银、蒋伯䔍、陈用卿、陈信卿、闵鲁生、陈光甫；

神品：陈仲美、沈君用；

别派：邵盖、周后谿、邵二孙、陈俊卿、周季山、陈和之、陈挺生、承云从、沈君盛、陈辰。

三、清代的造壶艺术

到了清代，紫砂壶的制作又在前人的基础上更上一层楼，这时期著名的制壶艺人，有在雕塑及款式方面取得独特成就的陈鸣远；有善仿古式并以竹刀代笔镌刻壶铭书画的陈曼生；有以精巧取胜的杨彭年、杨凤年兄妹；有以浑朴见长的邵大亨、黄玉麟诸名家。他们毕智穷工，技艺辉煌，传世作品都美妙绝伦。上述这些名家巧匠的艺术品，在清代已极为珍贵，所谓寸柄之壶，盈握之杯，往往珍同拱璧，贵如珠玉。

自康熙中期到乾隆晚期为止，是紫砂壶造型全面的繁荣时期，装饰风格也发展到顶峰。这时期以陈鸣远为代表。陈鸣远是继时大彬后最伟大的宜兴陶人。他继承了明代的余风，并且开创了清代壶艺的新风貌。因此，在这段时期，紫砂壶的造型开始有了改变，就是筋纹器型与自然型体相融合，而后再被自然型体所取代。当时，除了继承明代的镌刻壶铭书法以外，尚有泥绘、加彩、浮雕、堆泥、贴花、施釉、搅泥、镂空、包漆、磨光等工艺，层出不穷，因器思变。

陈鸣远，名远，号鹤峰，一号石霞山人，又号"壶隐"，别号"鹤邨"，清康熙、雍正年间(1662～1735 年)宜兴川埠上袁村人。他出身于紫砂世家，其父陈子畦也是明末清初的制壶名

曼生套环钮壶

清代

思亭壶

清代

规 格：高9.3厘米 宽12.3厘米

壶身如葫瓢，弯嘴自腹向上胥出，圈把秀丽，高虚盖与壶口相切，呈一完整的器体。

紫砂莲子壶

清代

规　格：高11.6厘米　口径8.1厘米

此壶砂质湿润细腻。造型简朴，壶形突出莲子（又称掇只），骨肉亭匀，这是紫砂茗壶光素造型中的一件佳器，看似素面素心，却体现出壶艺家的功力和纯熟深厚的技艺。底刻款"岁在辛卯中冬虔荣制时年七十六并书"。

浮雕描金山水砂壶

清代

规　格：长6厘米

估　价：RMB 15 000～20 000

紫砂三兽壶

清道光／同治

规　格：壶高10.5厘米　口径8.3厘米

估　价：RMB 250 000～320 00

银台醉客紫砂壶

清代

此壶通体作水仙瓣式，六瓣均等水仙花形，属凹凸规正的筋纹器。钮顶至底心均等贯气，如同一辙，亦称凌花仙子壶，壶身似花苞秀美，颈部向上收敛，口唇旁出承盖，嵌盖吻合紧密，盖面穹起，如盘状花瓣。钮为珠形并刻出整齐的六棱。底心为六瓣筋纹的聚交点，三弯柱形嘴，两侧凹、正面凸的棱线。

紫砂挂彩壶

清乾隆

匠。《宜兴县志》称陈鸣远是近百年来壶艺成就第一名手。所制茶具、文玩有数十种，制品新颖，是一个善翻新样、塑镂兼长、技艺精湛的大师。他的独到之处是用雕塑装饰与造型相结合，款式书法也雅健有晋唐风格。当时有不少文人雅士对他的造壶艺术作过高度的评价。如吴骞称"鸣远一技之能，间世特出。"汪文柏《陶器行诗赠陈鸣远》有"古来技巧能几人，陈生陈生今绝伦"之句。他的作品，各方争购，在国内外同时流行，并博得"海外争求鸣远碟，宫中艳说大彬壶"的赞句。当时鸣远的碟与大彬的壶，并驾齐驱，声誉很高。吴骞称颂陈鸣远的壶艺成就："使与时大彬诸子周旋，恐未甘退就郏莒之列耳。"由此可见，陈鸣远的壶艺、盛誉、地位，在紫砂工艺史上确实是可以与供春、时大彬先后并称为"三大名匠"。

陈鸣远致力于造壶艺术，开创了一代宜兴紫砂文丽工雅的壶艺风格。他设计作品，包括壶、杯、瓶、盒、文房雅玩，多达数十种，"无不精雅绝伦"，誉者以为"堪与三代古器并列"。徐喈凤重修《宜兴县志》记载："陈远工制壶杯瓶盒，手法在徐(友泉)、沈(君用)之间，而所制款式、书法雅健，胜于徐沈，

宜兴紫砂竹节壶
清道光
规　格：高9.5厘米
估　价：RMB 30 000～40 000

故其年未老而特为表之。"他吸收了明代制壶名匠的纤巧华丽的风格，作品文丽工雅而又有超过前人的地方。清人张燕昌在《陶说》里曾对陈鸣远的作品作过"纤巧"的评论。事实上，从万历以来，紫砂壶风格日趋文丽纤巧是当时的趋势，而陈鸣远正是这一风尚的代表人物。时人评述：自陈鸣远开始，紫砂壶本身就有了一个完整的艺术感，形成紫砂壶独特的风格和流派。

陈鸣远的作品，以技艺精湛及富有创新精神而著名，他多才多艺，同时也是一位多产的陶艺家。他的作品类型分布甚广，归纳起来可以分为三类，即著壶茶具类、文房案头摆件及像生瓜果小品类，以文房雅玩为最，从而丰富了紫砂陶的造型艺术，发展了紫砂陶的品种。清人张燕昌《陶说》中有段记述："鸣远手制茶具雅玩，余所见不下数十种。"有天鸡壶、海棠壶、诰宝

东陵瓜紫砂壶
清代
规　格：高10.5厘米　口径3.3厘米
此壶砂质温润，团山泥胎，色近桔红。构思巧妙，制品新颖。

壶、菊尊、菊盒、香盘、十锦杯、研屏、梅根笔架、莲蕊水盂以及各种瓜果小品等，均擅长其技。鸣远作品"构思之脱俗，设色之巧妙，制作技巧之娴熟"，在紫砂史上也是少见的。尤其精于塑作雅玩，制品为世所珍。所制莲蕊水盂及梅根笔架，曾博得"梅根已老发孤芳，莲蕊中含滴水香"的诗赞。其花果小品，纤巧毕肖，耐人寻味。据传，有名"楚园"者，旧藏鸣远制品甚丰，像生果品之类就有白砂半桃、红砂核桃、白砂落花生、紫砂板栗、红砂荔枝、铁砂菱、白砂双榴等件。此外，文玩还有笔筒、双卮、瓶、洗、鼎、爵等等，造型别致，精雅过人，既是艺术欣赏品，又是文房实用品。鸣远的作品，且能自制自镌，铭刻书法讲究古雅流利，有独到的工夫。款署有行书、篆文，真草亦超逸有致。文献上有"其款字晋唐风格"，"鸣远吐属亦不俗"等评语。

据吴骞《阳羡名陶录》记载：鸣远名噪一时，其"足迹所

紫砂英雄壶
清代
规　格：高9.4厘米　宽10.7厘米
此壶泥色浅褐调细砂，把手上端与腹下部分别堆塑上下呼应的一鹰一熊，"鹰、英"、"熊、雄"谐音，故称"英雄壶"。盖以树枝作钮，与壶腹浑然一体。底有"远"行书刻款，"陈鸣远"篆书阳文方印。

至，文人学士，争相延揽，常至海盐馆张氏之涉园，桐乡则汪柯庭家，海宁则陈氏、曹氏、马氏多有其手作，而与杨中允晚妍交尤厚。"陈鸣远一生行迹所到的地方，当地的名流学者，都要争相邀请，尊为座上客。他在浙江桐乡汪柯庭(名文柏，字季青)家作客时，为其"制作砂壶"，而汪善书工诗，即为鸣远砂壶作画。海宁名士杨中允(字嵩木，号晚妍)、曹廉让(号廉斋)和马思赞三人，也曾延请鸣远来游，并为他们制作茶具雅玩、切磋壶艺。杨、曹两人还为陈鸣远的作品书写古诗或代署款识。其中，他与杨中允交谊最笃，为杨氏家所制紫砂壶最多，也最精。杨亦"常为陈鸣远捉刀"，但并未自署名号。《阳羡砂壶图考》刊朱笠亭藏鸣远壶一具，镌有"丁卯上元为嵩木先生制"之款，书

"王南林"款紫砂壶
清代
规　格：宽23厘米
成交价：RMB　1　320

朱砂壶
规　格：长12厘米
估　价：RMB　60　000～80　000
"大风堂"款。

装一副四方形的嘴把，使整体更有精神。包袱壶制作精巧浑成，风流高雅，韵致怡人，底刻"两腋习习清风生。鸣远"九字。在美国华盛顿弗里尔艺术馆所藏陈鸣远包袱壶，作于1708年，手工精妙。中国台北故宫博物院藏一南宋吉州窑牙白包袱式把壶，可能是鸣远包袱壶的雏型。美国西雅图艺术馆所藏梅干壶，也是陈鸣远的杰作。紫砂泥胎，壶呈栗色。除了极富生态的残干、破皮及缠枝之外，整件作品更是一强而有力的雕塑。壶上的梅花是用堆花手法，将有色的泥浆堆积塑造成型。这种装饰技法在18世纪最为流行。

中国香港北山堂所藏陈鸣远的束柴三友壶，也是一具无与伦比的杰作，技法

法似晚妍手笔。陈鸣远在杨家精心制作的得意作品，又经杨代署款识，从而使紫砂壶身价倍增，有名工名士相得益彰之效。他还应海监张东谷兄弟之邀，在涉园居停并为其制作紫砂壶。由此可见，这个时期的文人学士不仅参与了紫砂壶的制作，有的还为其作画写文或代署名款，但自己并不署名。人们所重者是紫砂壶本身及其制作者。当时的名壶是以名工而闻名的。

陈鸣远的传世作品，在国内外均有收藏。南京博物院所藏南瓜形壶，团山泥胎，砂质温润，色近橘红。构思巧妙，制品新颖，以南瓜为壶体，壶嘴堆塑瓜叶，把手饰瓜茎藤，盖状瓜蒂。壶身筋囊生动自然，嘴把造型和谐统一，叶脉藤纹刻划逼真，妙趣盎然，巧夺天工。壶身一侧镌铭行楷"仿得东陵式，盛来雪乳香"十字，刻款"鸣远"，书法古雅，有晋唐风格，并钤阳文篆书"陈鸣远"方印。

另一件较能代表陈鸣远壶艺风格佳作是包袱壶。壶体为一衣包，平面作长方圆角形，形体饱满而不臃肿，布纹褶裥既不失真，又不落自然主义的俗套。嵌盖结构增强了整体感。在状为衣包的壶体上，

马上封侯壶

清代

规　格：高10.3厘米　宽14.6厘米

此壶淡墨色紫泥调砂，通体作树桩造型，壶流、壶把呈枝干状，与器身连成一体，枝叶、树瘿、蔓藤刻划细致。以一卧马作盖纽，壶壁近把下端堆塑一向上攀伸的猴子。壶底有"鸣远"行书刻款，把上有"鸣远"篆书阳文方印，壶底刻有："从来佳茗似佳人"的行书诗句。

束腰方壶

清代

规　格：高15.5厘米　宽22厘米

此壶形制硕大。壶胎用紫砂红泥制作，其造型源于青铜古尊，方中寓圆，颈高腹鼓，高脚四开斜门，将全壶托起，嵌式盖壶口浑方线，盖隆起与壶外轮廓贯通一气，钮浑方，形体完美，变化姿韵细腻。方嘴呈三弯，胥出自然；扁方圈把式，上置一飞，用于端拿之力点，又与方嘴对称平衡。腰部束一毕带纹作装饰。壶底钤"陈秉文"四字阳文方印。

精纯，构思富有独创精神。此壶作于清壬午年（1702）年，壶身由松枝、竹枝及梅干束成，壶盖隐于枝干的横切面中，最有趣的是在壶上加塑两只小松鼠，制作出奇精巧，可见匠心独运。

清吴骞所藏鸣远天鸡壶，细砂泥胎，呈紫棠色，制作精雅绝伦。此壶即有“堪与三代古器并列”之誉。吴骞还特意为其作了一首天鸡壶赞诗：“娲兮炼色，春也审欺。宛尔和风，弄是天鸡。月明花开，左挈右提。浮生杯酒，函谷丸泥。”

宜兴陶瓷博物馆所藏鸣远四方桥顶壶，壶呈栗色，造型古雅，壶的作小桥型，线条清晰轮廓明朗，壶盖有行书“鸣远”椭圆印一方。

苏州文物商店藏有鸣远制莲形银配壶，壶身呈莲蓬形，鼓腹下部渐收敛。壶身四周饰八片宽体莲瓣。壶嘴短，饰荷叶纹。壶盖面上以六颗莲子装饰在圆形钮四周，钮和莲子均能活动。壶盖和壶口结合紧密。壶肩部装有一藕节形的银配。在壶身一莲瓣上刻有“资尔清德，烦暑咸涤。君子友之，以永朝夕”铭文，并刻有“陈鸣远”名款及二篆书印“陈”、“鸣远”。

浴后妃子壶，日人樋口超古藏品。壶呈纯朱色，作于清丁未年(1667年)，制作极其精细，光润自露，薄如纸片，轻似鸿毛。流弯而仰，鋬环而纤，盖的应之腹侈而肩削成，壶底镌真书“丁未杏月鸣远仿

紫砂葫芦壶

清代

规　格：长18.8厘米

估　价：RMB 55 000~65 000

成交价：RMB 93 500

紫砂六如壶

清代

规　格：高8.5厘米　宽16厘米

此壶壶身一面浮雕《品茗图》，另一面堆雕乾隆御制诗，并署“御制横云馆”五字篆书款。

掇球紫砂壶

清道光

规　格：壶高10厘米　口径6.5厘米

估　价：RMB 270 000~320 000

古"八字,有小印二,一圆一方,日"鸣""远"两字。这件作品凝结了鸣远高度的制作技巧,工夫百炼,调泥不苟,有惜墨如金之意,通体柔性情态,如妃子浴于华清池中,故其壶名号曰"浴后妃子"。

风流宰相壶,日人藤堂询莞斋藏品。泥色紫而光润欲滴,形制椭而四隅微圆,端丽精致。此壶流方而弯,錾环而变式,盖盘的方而无棱,口椭而容盖,肩削成腹胖,底内入如倒凹字,镌"从来佳茗似佳人,坡公句。鸣远"行书十二字,铭刻骨体秀美,书法在赵(孟頫)董(其昌)之间。通体风流高雅,超然出于庸俗,故号曰风流宰相壶。

《阳羡砂壶图考》所列陈鸣远传世器物有:一、细砂作紫棠色天鸡壶,上镌庚子山诗,为曹廉让手书。二、汪季青陶器行赠陈鸣远诗云:"赠我双卮颇殊状,宛似红梅岭头放"。三、张燕昌曰:"尝见一壶题'丁卯上元,为峝木先生制'。"四、茗壶图录记载鸣远朱泥壶,底镌真书八字曰:"丁未杏月",鸣远仿古"。五、鸣远紫泥壶,底镌行书十二字:"从来佳茗似佳人,坡公句,鸣远"。六、方壶一具,底镌"衍斋真赏。鸣远"。七、海棠形小壶一具,底有"鸣远"款,"石霞山人"章。八、海棠形小壶,底镌"石乳泛轻花","陈"字圆章及"鸣远"方章。九、紫砂壶一具,底铭曰:"器堕于地,不可掇也;言出于口,不可及也。慎之哉,"有"远"字款,"陈鸣远"章。十、白泥大壶一具,诰宝形,底有"陈鸣远"篆文章。

荷叶形紫砂壶

清中期

规　格:直径7厘米

估　价:RMB 15 000～25 000

成交价:RMB 27 500

邵郝龙首小壶

清代

规　格:长19厘米

估　价:RMB 50 000～80 000

"权寅敕记"楷书款

邵友廷款提梁紫砂壶

清代

规　格:长12.5厘米

估　价:RMB 8 000～10 000

紫砂窑变壶

清代

规　格:长33厘米

估　价:RMB 25 000～30 000

"葛明祥"楷书款

朱泥炉形壶

清代

规　格：长18厘米

估　价：RMB 150 000~200 000

"大清顺治已丑子澈"楷书款。

曼生紫砂壶

清代

规　格：长16厘米

估　价：RMB 8 000~10 000

"大清嘉庆年制"篆书款。

方曾山记紫砂壶

清代

规　格：长18厘米

估　价：RMB 5 000~8 000

陈鸣远紫砂壶

明／清

规　格：高8厘米

估　价：RMB 5 000~8 000

"鸣远"款。

香港艺术馆刊鸣远传器有壶二件：一、束柴三友壶，署"鹤邨"篆书款。二、葵花八瓣壶。署"壬午春日鸣远"及"鸣远"楷书刻款。其余为文房雅玩之器：一、梅枝形笔山，有"陈鸣远"印。二、清供菱角，"鹤邨"印。三、清供荸荠，"鸣远"印。四、清供核桃，"鸣远"印。五、清供花生两节，有"陈""鸣远"及"鹤邨"印。六、清供栗子，"鸣远"印。七、清供慈菇，有"陈""鸣远"印。

见于其他著录的陈鸣远传世器物有：一、王勺山藏壶，底有铭。(见《阳羡陶说》)二、《艺术丛编》载小壶一具，底有"鸣远"款，"石霞山人"章。三、邓秋枚《明清各名家砂壶全形集拓》载紫砂壶三柄，底有铭，"远"字款，"陈鸣远"章。四、张叔未藏瓜果式壶，当世推为绝作(见《前尘梦影录》)。五、庞莱臣旧藏一壶，后归英人霍普逊。六、黑漆螺钿壶，有"鸣远"一印，篆书阳文，另嵌一印"姜千里造"小楷四字(见《壶雅》)。七、邓秋枚藏束腰方壶，款"廉斋"。八、上林藏壶，张叔未赐王氏诗注云："兄子上林藏有陈鹤峰壶。"

所制文玩见于著录的有：一、汪柯庭所藏双卮，见汪文柏《陶器行诗赠陈鸣远》。二、查慎行赠借山和尚莲蕊水盛与梅根笔架，有诗记之。三、张燕昌所藏研屏，为桐乡王次迁所赠，一面临米元章《垂虹亭诗》，一面刻汪柯庭双钩兰。四、林季绳藏蕉叶形小碟，一隅衬以秋葵花一枚，楚楚有致，花底钤"陈鸣远"篆文方印小章，精绝不苟。五、林季绳藏半桃一枚，连枝而核露其半，精巧逼真，叶底钤"陈鸣远"篆文印小章。(见《宜兴紫砂史》)六、菜形水承，其形为一棵大白菜，一条大青虫正在蚕食菜叶，形象颇生动有趣。底署"陈鸣远"篆文方章。七、桃菱果杯，造型奇巧，以藕作把，半桃为杯，菱果为足。有"陈鸣远"篆文方章。八、小盂一具，呈米黄色，肩部堆以精细的回纹及钟鼎纹饰，小巧别致。(见《紫砂春秋》)据传，英人大维德藏有陈鸣远竹笋式水注一具。

在清代康、雍、乾三朝的著名的艺人，还有惠逸公、华凤

紫砂桃形杯

明／清

规　格：口径11.1厘米

估　价：RMB 200 000~250 000

"陈鸣远"款。

紫砂寿桃壶

清乾隆

规　格：高9厘米

估　价：RMB 90 000～120 000

"鸣远"款。

紫砂御题壶

清乾隆

规　格：高6厘米

估　价：RMB 180 000～200 000

紫砂加彩山水圆壶

清中期

规　格：高16.5厘米

估　价：RMB 5 000～7 000

"清德堂"款。

紫砂雕梅纹壶

清代

规　格：长17.5厘米

估　价：RMB 4 000～6 000

紫砂雕山水诗文壶

清代

规　格：长19厘米

估　价：RMB 6 000～8 000

松萝茶的传说

　　传说在明代洪武年间，安徽休宁松萝山上福寺门口有两口大水缸，在水缸内长满了绿萍。一天，有一位香客来庙敬香，发现这两口缸是宝物，愿以重金三百两银子把两口缸买下来，约定3天后成交。住持听说后非常高兴，立即叫小和尚把缸里的水倒干净，并把缸冲洗干净，然后将缸抬进寺庙内。3天过后，那位香客提着重金来寺庙购缸，见缸后叹气道："此缸已无宝气，"交易遂告吹，住持非常懊恼。当香客问及："缸水倒到哪里去了？此宝气乃在缸水中啊！"住持说："倒在庙前了。"香客告诉住持宝气仍在，若在倒水的地方栽上茶树，必然会有宝茶出现。住持按香客说的那样在庙前栽上了茶树。不久，茶树就长大了，而且这些茶树所产的茶叶有奇效，喝了这茶叶水后能解毒祛病，于是人们就称这种茶为"松萝茶"。后来休宁一带流行伤寒和痢疾，人们来庙中求神拜佛，和尚就送每人一包松萝茶，病人喝了此茶后马上就痊愈，真是茶到病除。

　　休宁松萝茶是历史名茶之一，它具有较高的药用价值，近年，临床上也将它作为一种治疗高血压、肾炎等疾病的辅助饮料。松萝茶的品质特点是：色重、香重、味重。

翔、王南林、许龙文、邵元祥、陈觐、邵旭茂等。

可与明末惠孟臣相伯仲的惠逸公，世称"二惠"。孟臣制品浑朴精巧俱备，而逸公则长于工巧一类，制壶形式大小与诸色泥质俱备。然而赝品之多，可与孟臣等量。伪作多属小壶，大壶尚罕见。逸公书法，楷行草俱备，且竹刀、钢刀均用，陶刻作品甚佳，非乾、嘉后辈所能及。逸公的传器较多，散见于海内外。如新加坡陈之初先生香雪庄藏红泥狮钮壶一具，壶身镌"甘露被野，嘉禾遂生"行草铭，又"生春"隶书铭，"逸公作于东斋"行草款。《宜兴陶器图谱》所刊惠逸公传器，还有以下几件：一、朱泥大壶一具，周身鬃罗纹隐现，底镌"风流三接令公香。逸公制"十字行书，竹刀刻，失盖后配。二、朱泥莲子小壶一具，浑厚雅朴，短流，长鋬，底镌"流水足以自怡。逸公制"九字行书，逸公遗器此具可称为精品。三、紫泥小壶一具，底镌"石门柳绿清明市"七字行书，下有"逸""公"两小章。四、紫泥小壶一具，底镌"丁未仲冬惠逸公制"八字，丁未年即雍正五年（1927年），此为逸公制品中惟一有题款年代者，若以此壶题款年代推算，其世当康熙下半叶及雍正、乾隆朝。五、朱泥薄胎小壶一具，式度甚佳，底刻"二月江南水涨天。逸公"九字。六、红泥小壶一具，底镌"枝上月三更。逸公"楷书七字。七、朱泥大壶一具，气格浑厚，肩膊处鬃罗纹隐现，均存清初作风。底镌铭曰："三山半落青天外"，款署"逸公制"，在行草间，竹刀刻划。

华凤翔，清康、雍年间宜兴人。善仿古器，制品精雅而不失古朴风味，兼长紫砂炉。传器有仿汉方壶一具，参犞砂，作梨皮色，底镌"荆溪华凤翔制"篆书阳文印。全壶巧而不纤，工而能朴，可称神品。香港艺术馆《宜兴陶艺》刊有汉方小壶一

紫砂壶

清代

规　格：高8厘米

估　价：RMB 1 500

"汉唐制陶"款。

紫砂壶

清代

规　格：高6.5厘米

估　价：RMB 1 000

"曼陀华馆"款。

紫砂壶

清代

规　格：长20厘米

估　价：RMB 800

"阿曼陀宝"款。

紫砂壶

清代

规　格：高9厘米

估　价：RMB 1 000

"汤听军制"款。

紫砂加彩梅花壶

清宣统

规　格：高15厘米

估　价：RMB 1 000~5 000

"宣统年制"款。

紫砂盂式壶

清代

规　格：长17.1厘米

估　价：RMB 10 000~15 000

壶壁刻铭："注以丹泉，饮之吉，勿相忘。曼铭。"

"阿曼陀室、彭年"款。

具，镌印款式俱与上同，或即为同一壶。

许龙文，清雍、乾年间宜兴人。技艺受陈仲美、沈君用的影响，所制多花卉象生壶，殚精竭智。壶底常刻二方印，一曰"荆溪"，一曰"龙文"。日本《茗壶图录》选载其代表作品共有四件：一、名号"倾心佳侣"。流直錾环，通体以秋葵花为式，千瓣参差，向背分明，瓣在腹者最大，在底者次之，在盖者又次之。的亦各施工，流下有二小印："荆溪"、"龙大"，泥色紫而梨皮。许氏巧手，每壶无一不竭智力，而此壶精制尤穷神妙。秋葵花与蜀葵相类，故名号称其为"倾心佳侣"。二、名号"跌坐逃禅"。流弯而短，錾环而整，腹扁而大，胎薄而虚，最宜注瀹。底有二小印："荆溪""龙文"，泥色紫而梨皮，率与"藏六居士"同质，通体或如结跏趺坐，宛然有物外之貌，故号曰："跌坐逃禅"。三、名号"藏六居士"。流弯而带稜錾环应之，盖腹底皆共六稜，的成乳形，底镌"惜馀铭"三字真书，也有二小印"荆溪"、"龙文"，泥色紫而梨皮，较"倾心佳侣"稍淡，通体成龟形，而流錾有昂首曳尾之态，如动如止，故号曰"藏

六居士"。四、名号"方山逸士"。流直而方，墼矩而成口字样，盖平坦如棋秤，的似覆斗，钮底有印"许龙文制"。泥色紫如梨皮，形制四面，端正类似方山，故号曰"方山逸士"。

　　清代嘉庆到光绪年间，是紫砂壶造型艺术发展的转化期，此时以壶上镌刻书画为风尚。这一时期最突出的代表人物并非陶人而是曾任县宰的文士陈曼生。陈曼生精于书画篆刻，紫砂壶受其影响，风格为之大变，式样渐趋典雅适古，大多是简单的几何形造型，宜于壶面表现书画艺术。这时期的著名壶手有杨彭年、杨凤年、杨宝年兄妹及邵二泉、蒋万泉，还有邵大亨、黄玉麟等名家。此外，瞿应绍、朱坚等专业名手也相继出现，而朱坚又以善制包锡砂壶而著名。当时，紫砂壶艺呈现一派气象万千的景象，成为紫砂工艺史上的黄金时代，原因是文人的参与，名士与名工的结合，实际上"是热衷文化的艺人与热爱工艺的文人共同创造的"。

　　陈曼生，名鸿寿，字子恭，又号老曼、曼寿、曼公，还有夹谷亭长、胥溪渔隐、种榆仙客、种榆道人等别称。清乾隆、嘉庆间浙江钱塘(今杭州)人，陈士璠孙。乾隆三十三年生，道光二年卒，在世五十五年。嘉庆六年(1801年)他应科举中拔贡，善古文辞，以古学受知于阮云台尚书，与从弟陈云伯同在阮元的幕府中办事。他们都有文才，人称"二陈"。以后，陈曼生曾任溧阳知县、淮安同知、南河海防同知等官职，诗文书画皆以资胜，他是一位著名的书画家、金石家，篆刻继杭郡四名家丁敬、奚冈、黄易、蒋仁之后，被后世尊为西泠八家之一。陈曼生素善书，酷嗜摩崖碑版，所刻铭文，篆、隶、楷、行都有，行楷有法度，八分书尤其简古超逸，篆刻追踪秦汉，兼工花卉、兰

紫砂提梁壶

清代

规　格：高18厘米

估　价：RMB 800

"邵旭茂制"款。

紫砂石铫壶

清代

规　格：长16.1厘米

估　价：RMB 30 000~40 000

壶壁刻铭："玩之足以望世，餐之可保长生。子冶仿古。另面刻竹数叶，并有刻铭：口作宝鼎，子子孙孙永其万年。符生。"壶底印"阿曼陀室"。"阿曼陀室、彭年"款。

紫砂诗文壶

清代

规　格：高11厘米

估　价：RMB 1 000

"绍顺昌"款。

紫砂加彩花鸟壶

清代

规　格：高10.5厘米

估　价：RMB 1 000

"陈鸣远"款。

活环三足紫砂壶

清代

规　格：高15厘米

估　价：RMB 8 000

"孟臣"款。

紫砂浅刻山水诗文壶

清代

规　格：长17厘米

估　价：RMB 1 000

"阿曼陀室"款。

紫砂带钮壶

清代

规　格：长14厘米

估　价：RMB 1 000

"名陶精制"款。

安溪铁观音的故事

　　相传在福建安溪县松林头村有位老茶农魏饮信佛，每天清晨必泡三杯清茶供奉在观音像前，十分虔诚。十几年来从不间断。一天，他上山砍柴，偶见岩石隙间有一株茶树，在阳光照射下闪闪发光，极为奇异，便将它挖出带回家中，精心培育。三年后茶树枝叶繁茂，采摘试制，其成茶沉重似铁，香味极佳，魏饮认为是观音所赐，所以将这茶树取名为"铁观音"。

　　铁观音乌龙茶原产于福建省安溪县。铁观音原是茶树名，它的树叶适合制乌龙茶，所以用铁观音茶树上采摘的鲜叶制成的乌龙茶亦取名为铁观音。

收藏知识

竹。著有《种榆仙馆摹印》、《种榆仙馆印谱》、《种榆仙馆集》、《桑连理馆集》等。

嘉庆二十一年(1816年)前后，陈曼生在宜兴附近的溧阳县做地方官，当时诗文名流麇集。他和钱菽美、汪小迂等过从尤密。在此期间，他对紫砂茗壶忽然发生兴趣，又结识了宜兴的制壶名手杨彭年、杨宝年、杨凤年兄妹等，并对杨氏"一门眷属"的制壶技艺给予鼓励和支持。更因为自己的爱好，于是在"公余之暇，辨别砂质，创制新样，手绘十八壶式，请杨彭年、邵二泉等制壶"，"壶铭多为幕客江听香、高爽泉、郭频迦、查梅史所作，亦有曼生自为之者"。同时，陈曼生及其幕僚在题刻壶铭时，也很注意与壶的形状切合，有独到之处。因此，在紫砂史上便产生了"曼生壶"的专有名词。此种制铭名士和制壶名工的合作结晶，固属两美，堪称"珠联璧合"，传世作品是收藏家访求甚殷的。

曼生壶底部常用"阿曼陀室"、"桑连理馆"印记，壶底下部有"彭年"、"二泉"小章。上海博物馆所藏的一件壶底刻有"仿汉延年飞雁瓦当"的瓦当壶，就是典型的作品。壶呈深紫色，正面为瓦当阳文"延年"二篆字，背面刻"不求其全乃能延年。饮之甘泉，青萝清玩。曼生铭第二千六百十一壶"底钤"阿曼陀室"方印，梢有"彭年"小章。此壶造型借助瓦当设计，铭文则是借题发挥，反映了文人的世界观。关于曼生壶的编号，曾见邓秋枚《明清各名家砂壶全形集拓》刊有一壶，身镌"曼公督造茗壶第四千六百十四。为犀泉清玩"字样。有人疑为后世古董商故弄玄虚，也不无可能。

曼生壶之所以盛名于世，是因为把金石、书画、诗词与造

梨形紫砂壶

清代

规　格：高10厘米

估　价：RMB 1 000

"阿曼陀室"款。

王东石紫砂壶

清同治

规　格：长16.3厘米

估　价：RMB 30 000~40 000

此壶制作精工，壶壁铭刻："咀尖肚大耳偏高，才免饥寒便自豪。量小不堪容大物，两三才作起波涛。杰三仁兄大人雅正。同治八年之冬，东石仿古。胡远公寿摹板桥道人铭刻。""阳羡王东石制"款。王东石，清同治光绪间人，造壶得古法，刻工精细，曾为胡远制壶。

紫砂倒梨形壶
清代
规　格：长16厘米
估　价：RMB 1 000
"龙谷山人"款。

白泥竹节形壶
清晚期
规　格：长17.7厘米
估　价：RMB 12 000~15 000
"范庄农家、静安"款。

壶工艺融为一体，相得益彰，创造了一种独特而成熟的紫砂壶艺术风格，所以深受收藏家所喜爱。罗桂祥先生在他所著的《宜兴炻器》一书中有所评论："陈曼生的成就在于：(一)他对当时的制壶好手如杨彭年的大力支持并鼓励其创作,(二)在他热心的鼓动下，当时他交往的一群文士雅好紫砂，并且参与在壶上进行书法、篆刻、绘画的创作;(三)他本人在艺术上的独创性，不但在壶上刻上其精彩的书法及切合茶壶本身意境之题句，而且设计了不少壶式。陈氏不单为18世纪创立了一种新的风格，而且其影响至今不衰。"

关于"曼生壶"十八式，是指哪十八种式样的紫砂壶？历来没有定论。当今许多紫砂研究专家学者的说法都不一样。首先是美籍华裔谢瑞华女士于1985年在《中国茶具大观》撰文介绍"宜兴茶壶的造型与纹饰"时，列出了陈曼生的"十八壶式"，据说她所列出的陈曼生的"十八壶式"是从著录及私藏所见的曼生壶中选出的，虽然列出十八式，但不能肯定就是陈曼生设计的那十八式，她甚至不能确定陈曼生就只造了十八式。曼生壶皆由杨彭年兄妹等所制，而由陈曼生题铭刻字及名款，虽然壶式各有不同，其共通之处在外形简单而且有充足的空位以便题字。

其二是中国台湾自号茶仙的潘燕九先生(原籍苏州)于1988春所著《诗书画印带茶香别册·刀书茶趣》中曾为陈曼生"十八学士图"造像，潘氏在方寸之间刻画出陈曼生的十八壶式，其壶名及款式辑录于下：

(一)仿大彬书香鼓形壶，"书香"铭，篆文。

（二）六角鼎壶，"吉祥"铭，篆文。

（三）仿供春树瘿壶，"长春"铭，篆文。

（四）思亭梨形壶，"延年"铭，篆文。

（五）卢仝七椀飞天壶，"七椀"铭，篆文。

（六）汉瓦当康宁壶，"康宁"铭，篆文。

（七）汉方年年如意壶，"年年"铭，如意图。

（八）无等等流壶，"无等等流"铭，篆文。

（九）覆斗益寿壶，"益寿之壶"铭，篆书阴文。

（十）如意葫芦提梁壶，"如意"铭，行书。

（十一）度一切苦厄玉环壶，"度一切苦厄"铭。

（十二）环福壶，壶周环刻"福"篆文铭。

（十三）乾坤壶，八卦图饰壶面。

（十四）晋砖诗意壶，"诗意"铭，隶书。

（十五）佛无说东坡竹笠壶，"佛无说"篆文铭。

（十六）包君平安壶，"平安"篆文铭。

（十七）通天长寿壶，"寿"字篆文铭。

（十八）梅椿提梁壶，"日月长"篆文铭。

第三，是上海学者郭若愚先生根据历年收集所得资料，在《紫砂春秋》一书中撰文对曼生壶造型设计的十八式及其题识所

紫砂竹节提梁壶

清代

规　格：高20厘米

估　价：RMB 1 500

"陈荫轩制"款。

紫砂寿桃壶

清乾隆

规　格：高9厘米

估　价：RMB 90 000~120 000

"鸣远"款。

紫砂壶

清代

规　格：长17厘米

估　价：RMB 1 000

"邵景南制"款。

山水诗文紫砂壶

清代

规　格：高9厘米

估　价：RMB 800

"延古堂"款。

紫砂树桩壶

清代

规　格：高8厘米

估　价：RMB 8 000~10 000

"钱显德制"款。

周盘紫砂壶

清代

规　格：长18厘米

估　价：RMB 3 000~5 000

"周盘"款。

作介绍，资料翔实，现摘录如下：

（一）"石铫"。铫之制，抟之工，自我作，非周种。

（二）"汲直"。苦而旨，直其体，公孙丞相甘如醴。

（三）"却月"。月满则亏，置之座右，以为我规。

（四）"横云"。此云之腴，餐之不癯，列仙之儒。

（五）"百衲"。勿轻短褐，其中有物，倾之活活。

（六）"合欢"。蠲忿去渴，眉寿无割。

（七）"春胜"。宜春日，强饮吉。

（八）"古春"。春何供，供茶事，谁云者，两丫髻。

（九）"饮虹"。光熊熊，气若虹；朝闾阖，乘清风。

（十）"瓜形"。饮之吉，瓠瓜无匹。

（十一）"葫芦"。作葫芦画，悦亲戚之情话。

（十二）"天鸡"。天鸡鸣，宝露盈。

（十三）"合斗"。北斗高，南斗下；银河泻，阑干挂。

（十四）"圆珠"。如瓜镇心，以涤烦襟。

（十五）"乳鼎"。乳泉霏雪，沁我吟颊。

（十六）"镜瓦"。鉴取水，瓦承泽；泉源源，润无极。

（十七）"棋奁"。廉深月迥，敲棋斗茗，器无差等。

（十八）"方壶"。内清明，外直方，吾与尔偕藏。

除以上十八壶式外，传世品中又见：

（一）"井栏"。井养不穷，是以知汲古之功。

（二）"钿盒"。钿合丁宁，改注茶经。

（三）"覆斗"。一勺水，八斗才，引活活，词源来。

（四）"牛铎"。蟹眼鸣和，以牛铎清。

（五）"井形"。天茶星，守东井；占之吉，得茗饮。

（六）"延年半瓦"。合之则全，偕壶公以延年。

（七）"飞鸿延年"。鸿渐于磐，饮食衍衍，是为桑苎翁之器，垂名不刊。

竹椿紫砂壶

清中期

规　格：长16厘米

估　价：RMB 1 000

"邵正来制"款。

曼生扁石紫砂壶

清代

规　格：长18厘米

估　价：RMB 1 000

"阿曼陀室"款。

岁寒三友紫砂壶

清嘉庆

规　格：长17厘米

估　价：RMB 800

"嘉庆辛未年"款。

黄砂瓜钮紫砂壶

清代

规　格：长14厘米

估　价：RMB 1 000

"荆溪人制"款。

（八）"提梁"。提壶相呼，松风竹炉。

（九）"斗笠"。笠荫喝，茶去渴；是二是一，我佛无说。

据郭氏文中所述，紫砂壶自明代供春创制以来，经过万历年间时大彬的发扬光大，至明末清初，制壶名手如李仲芳、徐友泉、陈仲美、陈用卿、蒋志雯、陈鸣远诸人相互仿制，逐渐形成了许多紫砂壶造型的传统形式，以后的砂壶名手大都承袭前代的造型，陈陈相因，无甚变化。过去的几种形式经历了两百余年，早已使人感到陈旧，而且在制作技法上又一代不如一代。因此，到了清代嘉庆年间，那些制壶艺人都觉得应有改进的必要，但苦于无人设计造型。陈曼生当适其时，应运而生，他又是一位具有高度艺术才能的金石书画家，又恰巧在宜兴附近地区的溧阳县为官，他在公务之便，对紫砂壶造型作了革新，创制一批新的式样，这是工艺美术设计史上一件重要事。

炉钧釉紫砂壶

清代

规　格：长23厘米

估　价：RMB 800

"葛明祥制"款。

紫砂高笠壶

清晚期

规　格：高9厘米

估　价：RMB 8 000~10 000

"客斋"款。

紫砂汉君壶

清晚期

规　格：高7厘米

估　价：RMB 35 000~45 000

"恒轩"款。

第四,是南京艺术学院潘春芳教授于1963年专程拜访过上海文史馆一位老者龚怀希先生。据说当时龚老已是垂暮之年,虽时值酷暑盛夏,他仍着中式棉袍。龚老在30年前后曾专营古董行业,对于紫砂古壶的研究及仿制有着较多的经验,交谈之中,他兴之所至拿出了一册郭频迦题签的《陶冶性灵》手稿,手稿32开,左页绘壶形,右页录壶名及铭文,最后一页记曰:"杨生彭年作茗壶廿种,小迁为之图。频迦曼生为之著铭如右。癸酉四月廿日记。"癸酉年是嘉庆十八年(1813年),正是陈曼生任职县官之时。由于这集手稿既有壶形,又有壶名及铭文,实在是非常珍贵。潘春芳教授将《陶冶性灵》中的20个壶形与谢瑞华女士《宜兴陶器》中的曼生十八式图形相对照,其中仅有5件造型相同,这就说明陈曼生当年对紫砂壶的造型设计远非18个式样。

第五,是中国台北茶讯杂志社总编季野先生于1991年编著的《紫砂陶》一书的附录中刊出了曼生壶共计38式。季野先生致力于茶艺与壶艺研究多年,他在《紫砂陶》一书中记述:对于传说中的曼生壶十八式,多年来一直引起人们的兴趣,特别是一些曼生壶迷更想知道这十八式是些什么式样及名称。成书于1937年的《阳羡砂壶图考》上卷《雅流篇》中,对陈曼生题铭的8件传器分别作了介绍,其中较明确的有"台笠壶"、"合欢壶"、"匏壶"、"井栏壶"、"方山壶"、"石铫壶"共六件。此

龙雷云纹紫砂壶
近代
规　格：长19厘米
估　价：RMB 3 000～5 000
"高建芳制"款。

事事如意紫砂壶
现代
规　格：高9厘米
估　价：RMB 1 000

紫砂提梁壶
清乾隆
规　格：高15厘米
估　价：RMB 1 500
"邵旭茂制"款。

梅椿紫砂壶
民国
规　格：高12厘米
估　价：RMB 1 000

紫砂壶

民国

规　格：长16厘米

估　价：RMB 1 000

"建村制陶"款。

人物绿釉紫砂壶

清康熙

规　格：高18.8厘米

估　价：RMB 20 000～25 000

"华凤祥制"款。

梅兰竹菊六方紫砂壶

现代

规　格：高11厘米

估　价：RMB 1 000

"施小马"款。

邵俊根制紫砂彩釉菊壶

清代

估　价：RMB 48 000

外，还列举了陈曼生确定茗壶并有贴切壶形的22条铭文，除第16条下无壶名外，其余21条均有壶名，其中有4件与前面的8件传器中的4件壶名相同，这样《阳羡砂壶图考》就为人们提供了26件不同的曼生壶壶形了。与谢瑞华女士所整理的曼生十八式壶形相对照，有十件壶形基本上相符，将另外不符的八件加上，就成了三十四件不同式样的曼生壶了。

据说，季野先生于1963年春天，曾与中央工艺美术学院张守智教授一起专程拜访过上海文史馆的龚怀希先生。龚老向其出示《陶冶性灵》手稿，季野先生当场就将该稿所刊20个曼生壶形原样用铅笔复录了下来。将其与谢瑞华女士的十八式壶形相对照，仅有5件相同。与《阳羡砂壶图考》中曼生的传器及22条铭文相对照，壶铭与壶名基本相同共16式。如果将这三份资料中各不相同的壶形集在一起，就有38个曼生壶造型了。

诸多宜陶研究者和季野先生都这样认为：当年陈曼生确实手绘了一批紫砂壶样请杨彭年等人制作，但数字不一定就是18式，可能不足也可能超过18这个量词，世人所以用"十八式"这个数字，仅仅是习惯而已，也许是人到18岁表示进入成年，也许是中国受佛教影响较大的原因，人们就常常用"18"来象征完善、成熟或极至。莲花是佛教中常见的花卉，菩萨端坐在莲花形座上，莲花是十八瓣。佛祖释迦牟尼两旁有十八罗汉。佛教教义劝人从善，否则作恶多端要打入十八层地狱。其余常见的例子为武侠小说中形容某人武艺高强，常说十八般武艺样样精通；绘画上有十八描，音乐上有胡笳十八拍、

紫砂变编竹纹提梁壶

清中期

规　格：高23厘米

估　价：RMB 30 000～40 000

"陈荫干制"款。

刻竹诗文石瓢壶

清中期

规　格：长16厘米

估　价：RMB 3 000～5 000

"子冶"款。

合欢紫砂壶

清代

规　格：长20厘米

估　价：RMB 3 000～5 000

"大享"款。

紫砂壶

清代

规　格：长15厘米

估　价：RMB 1 000

"邵芝林制"款。

十八律等等，可谓不胜枚举。世人说曼生壶十八式也是这个意思。

所谓曼生壶，只是宜兴紫砂壶的一种型类，它从一开始就是以陈曼生为首的一个文人群体参与，在研究、创作紫砂壶，是文人雅士与民间工匠的结合，创造的一种文人壶风格。因此，壶的款式也不会局限于十八式之内，一定是常有新品出现。今天我们研究曼生壶，重要的是要看茗壶的自身价值，壶形是否脱俗，壶铭、书法、印章、刻工刀法是否充满文人雅趣。

曼生壶造型的取材是多方面的，如取材自然现象的有"却月"、"饮虹"、"横云"等；取材植物形态的有"瓜形"、"葫芦"等；取实用器物的有"钿盒"、"覆斗"、"牛铎"、"井栏"、"合斗"、"棋奁"、"斗笠"等；取几何形体的有"汲直"、"合欢"、"春胜"、"圆珠"、"方壶"等；仿古器物的有"石铫"、"百衲"、"古春"、"延年半瓦"、"飞鸿延年瓦"、"天鸡"、"镜瓦"、"乳鼎"

紫砂黄砂大仿古壶

清代

规　格：长18厘米

估　价：RMB 1 000

"荆溪人制"款。

紫砂竹形壶

现代

规　格：高8.5厘米

紫砂壶

民国

规　格：长15厘米

估　价：RMB 1 000

"名陶精制"款。

朱可心制紫砂壶

近代

规　格：长19厘米

估　价：RMB 3 000~5 000

"朱可心制"款。

雕松鼠葡萄紫砂壶

近代

规　格：长18厘米

估　价：RMB 3 000~5 000

"刘天源制"款。

大红袍紫砂壶

清代

规　格：长17厘米

估　价：RMB 3 000~5 000

"客斋制"款。

蛋形紫砂壶

清代

规　格：长22厘米

估　价：RMB 3 000～5 000

"吴德光"款。

紫砂壶

近代

规　格：长15厘米

估　价：RMB 1 000

"王石耕"款。

等。这些造型，经历了170余年，一直影响到今天的紫砂壶产品设计制作。

　　曼生壶的题词题句，均为当时的文人、书画名家撰制，典雅隽永，耐人寻味。从现存许多实物、资料来看，曼生壶铭确实是经过作者精心构思，精心创作。其文切意远，格调之高亦非一般铭文所能比拟的，它是文学艺术的精品。而且曼生壶的铭文，还具有切茶、切水、切壶、切壶形等四大特点，分别介绍如下：（一）"青山个个伸头看，看我庵中吃苦茶。"(彭年紫砂大壶铭)此铭是切茶的。（二）"方山子，玉川子，君子之交淡如此。"(碧山壶馆藏彭年粗砂方壶铭)应《庄子·山水》："君子之交淡若水，小人之交甘若醴。"此铭是切水的。（三）"提壶相呼，松风竹炉。"(曼生石铫提梁壶铭)此铭是切壶的。（四）"笠荫喝，茶去渴；是二是一，我佛无说。"(彭年台笠形壶铭)因为此铭在僧笠上，铭题便切"笠"，僧与佛不可分，所以又切"佛"，此铭既切茶，又把抒怀与茶结合起来。曼生壶因壶铭、篆刻而名扬四海。当时寻常贻人之品，每壶仅二百四十文，而加刻壶铭则价高三倍。后来，连广东、湖邵二泉，嘉庆、道光年间人，工镌壶铭，且善制壶，曾为陈曼生造壶。邵景南壶多数为二泉刻字。《阳羡砂壶图考》载传器有白泥大壶一柄，腹钤铭曰："客至何妨煮茗候，诗清只为饮茶多"款著"二泉"。壶内有"志茂"小卓，底有"阳羡潘志茂制"章，皆篆书。又紫砂大壶一具，壶身

时大彬款宜兴紫砂壶
清代
规　格：高16.5厘米
估　价：RMB 20 000

鼓形紫砂壶
现代

紫泥三兽壶
清乾隆
规　格：长18厘米
估　价：RMB 15 000

赵松亭覆斗紫砂壶
清代
估　价：RMB 25 000
此壶是模仿黄玉麟的铺砂升方壶而作，
仅在梯形底角和嘴流处作细微变动。
与黄壶比较，此壶略显草气，但还是给
人简洁明快的感觉。壶身书"覆斗"，落
款"东溪"。

紫砂二龙戏珠壶
近代
规　格：高13厘米
估　价：RMB 35 000～45 000
"汪寅仙"款。

铭曰："十二峰前一望秋。二泉"款皆行书，底镌"竹溪吴月亭制"篆书阳文方印。

与邵二泉同时的吴月亭，字竹溪，为杨彭年后辈，善雕刻。有一杨彭年制曼生壶，壶身铭曰："云溪写芭蕉石"，署"竹溪刻"三字，刻工流利。《阳羡砂壶图考》载传器有紫砂大壶一把，底有篆书阳文印曰："竹溪吴月亭制"。又朱泥方壶一具，壶身铭曰："如印传一，如斗量才。觚哉，觚哉。时辛亥夏，南粦道者制"草书八行，分布壶身两面，盖内有"竹溪"小方印。

蒋万泉，道光、同治年间宜兴陶人，虽不见史载，但是当年的制壶名家。作品单纯高绝，不苟丝毫，与邵大亨、黄玉麟齐名。传器中其代表作品有"紫灵壶"，通体无瑕疵，浑圆雍容，

紫砂扁壶
民国
规　格：长14厘米
估　价：RMB 1 000
"宜兴松亭自造"款。

紫砂刻竹诗石瓢壶
清代
规　格：高7厘米
估　价：RMB 3 000～5 000
瞿子冶铭。壶底有"壶公冶父"阴文篆书印款。

触摸细腻，容水顺手，水流玉柱，令人爱不释手。据说上海许四海先生有一把大亨壶，鉴赏家皆赞口不绝，而此壶与其同样形态，水平雷同，真是无独有偶。又南京博物院所藏"紫砂钟形壶"，壶形似钟，流子微曲，壶把椭圆，盖面微凸，壶的圆，底凹进。色泽赭红，形制朴素敦厚，古朴大方。壶底内刻阳文篆书"万泉"小方印。这是目前所发现又一具万泉所制的传世名壶。此外，在上海金山县松隐从清代王珏山墓中发现的陈曼生自铭蒋万泉制的紫砂竹节壶，是一件至为难得的真品，尤足可贵。此壶泥色紫黑透红，紫而不姹，红而不嫣，既细腻又不耀眼，十分和谐。造型取材于竹，壶体雕作挺拔的竹干二节，流与錾如若杈枝，枝叶折曲，依附主干，流出枝三节，虽短直而见遒劲，錾出枝五节，虽弯曲而不娇揉；壶钮雕镂一枝、三曲、五节，更出二杈仿佛新篁。竹之结构，或圆雕，或浮雕，浑然妍巧，恰到好处，给人以妙若天成之感。壶腹阴刻"单吴生作羊豆享用"，富有金石气息，款署阴文楷书"曼生"。壶盖内钤阳文篆书"万泉"二字。蒋万泉确实是清代的著名陶工，制壶名家，但不见著录。传世作品还有六方茗壶、悬璧半瓶等。他的作品，制作之规整，捏塑之巧妙，雕琢之精细，可谓匠心别具。这件"陈曼生自铭紫砂竹节壶"当是蒋万泉的杰作，现珍藏在上海博物馆。

紫砂一捆竹壶
民国
规　格：高10.5厘米
估　价：RMB 35 000～45 000
"金鼎"商标。

梅花诗文紫砂壶
近代
规　格：长21厘米
估　价：RMB 3 000～5 000
"洪泉陶艺"款。

紫砂壶
近代
规　格：高7厘米
估　价：RMB 1 000

仿古紫砂壶

民国

规　格：壶高9.5厘米　口径8.6厘米

估　价：RMB 20 000～30 000

紫砂壶

民国

规　格：长14厘米

估　价：RMB 1 000

"建村制陶"款。

紫砂壶

民国

规　格：长16厘米

估　价：RMB 1 000

"建村制陶"款。

紫砂倒梨形壶

民国

规　格：长14厘米

估　价：RMB 1 000

冯彩霞，嘉、道间宜兴陶人，是继杨凤年后又一位杰出的制壶女名家，善制喝功夫茶的水平壶，大如拳头，小如鸡蛋，所制壶有衔制、捏制之别，捏制壶则指纹腠理隐现，尤为夺目，盖以方印为识，有"彩霞监制"四字阳文篆书。彩霞书法颇有欧阳询之韵，所镌款字精谨有致，亦间用草书。后受聘于南海伍氏在广东万松园内听涛楼制壶，所制紫砂壶概称"万松园壶"。传器有：一、朱泥小壶一具，底镌"中有十分香。彩霞"七字欧体楷书。二、手捏朱泥小壶一具，底有"彩霞监制"阳文篆书印。三、紫泥小壶一具，底镌"山青卷白云。彩霞"七字行书且用竹刀刻。(《阳羡砂壶图考》)四、香港艺术馆《宜兴陶艺》刊平肩小壶一具，壶底镌"彩霞监制"阳文篆书方印。

陈曼生之后继起的又一紫砂名家是瞿应绍，他是道光年间参与紫砂壶艺的上海名士，字子冶，一字阶春，初号月壶，晚改号瞿甫，又署老冶，室名"毓秀堂"。清道光间贡生，官玉环同知。工诗词、尺牍、书画、篆刻、鉴古，最善画竹，浓淡疏密，错落有致；兰、柳亦工。又擅陶刻，尤好刻竹于紫砂壶上，自号"壶公"，尝请邓奎到宜兴监制，壶之精者子冶自制铭，或绘兰竹，锓于壶上，时人称为"三绝壶"。至于寻常馈赠之品，

紫砂博浪椎壶
清道光／同治
规　格：高7厘米
估　价：RMB120 000～160 000

紫砂三足描金篆书壶
清代
规　格：高12.7厘米　口径6.2厘米
此壶胎泥为紫褐色，砂质隐现。壶体造型为扁腹、矮颈、唇口、小撇足。一侧塑龙嘴吐出短直流，另一侧作成圆弧把，把上塑象首，盖为拱顶，弧钮。壶的肩部作莲瓣纹和席纹各一周。壶腹一侧描金彩篆书："□寸看龙蛇飞动，方圆存天地精英。郎岑铭。"另一侧描金彩篆书："瓦缶胜金玉。"盖面饰金彩方胜纹和变形花叶纹，刻莲瓣纹和席纹各一周。

听泉山馆藏夹锡壶一具，壶作方形，錾、流、的皆镶玉，一面刻松柏，题曰："松柏同春图"款署"野鹤"；一面刻隶书铭曰："如竹虚中，如环玲珑；用作茶具，银铛同雪瓯，碧碗来香风"，款署"道光丙戌三月石梅制"九字行书。丙戌年为道光六年（1826年）。二、碧山壶馆藏紫砂大壶一具，铭曰："洞寻玉女餐石乳，朱颜不衰如婴儿。石梅"。三、区梦良藏紫砂大壶一具，铭曰："笠荫喝，茶去渴，是一是二，我佛无说。石眉"，底款"有味无味斋"印。则许桂林斋名。錾下有"彭年"章。四、储南强藏石梅为宋茗香制一壶，刻梅花，殊清隽，并有郭频迦、陈曼生、凌鱼诸人题铭。

申锡，道光、咸丰间人，字子贻，以陆师道游宜兴玉女潭有"帝命立兹山，功成有申锡"句，因取命名。所制壶底有"茶熟香温"篆书方印，盖内有"申锡"楷书扁方小章，或錾下有"申锡"小篆章。善篆刻，喜用白泥，精捏造，巧不可阶。若说

紫砂加彩壶

清晚期

规　格：高17厘米

成交价：RMB 1 100

则嘱邓奎镌铭识。宜壶之盛，曼生后子治实为第一人物。子治制壶，规模效法曼生，且善制砂胎锡壶，与杨彭年合作，柄有"彭年"印记者，即瞿氏手制。瞿氏收藏古器颇富，亦善鉴别金石文字。卒年七十。有《月壶题画》、《月壶草》等著作传世。

瞿应绍的传世器物有：一、碧山壶馆藏粗砂幼造壶一柄，壶身一面画竹，一面题云："一枝鲜粉艳秋烟。此余画竹题句也"，壶盖刻款识云："史亭能制茗壶，以此奉正。子治"皆行书。底有"月壶"二字篆印，錾下有"安吉"小章。二、披云楼藏参砂轻赭色大壶镌梅花一株，密布壶身，壶盖近錾处刻"子治"款下钤"吉安"篆印，壶底钤"月壶"篆章。三、八壶精舍藏深朱泥中壶一柄，侵砂堆凸如树瘿，式度古雅，别饶风趣。铭曰："翡翠婵娟，春风荡漾；置壶竹中，影落壶上。"署款曰："子治竹中画竹，适日影移阴，因写其意"。盖上镌"子繁茶具。子治"六字，底有"子繁石壶"篆印。四、又藏白泥渗砂中壶一柄，式度如前，壶铭曰："前松雪，后仲姬。今春水，朴卿夫妇后先辉映"壶铭书法出入米襄阳，题壶多行书，间作楷书。

朱坚，嘉道间浙江绍兴人，字石梅，又号石楳、石眉。能画，兼长人物、花卉，工鉴赏，多巧思，砂胎锡壶与陶十镶玉都是他的创制。且善写作，曾著有《壶史》一书，现已佚失。其书法篆隶行楷均劲逸有风致。《阳羡砂壶图考》载传器有：一、

玲珑八竹壶

清代

规　格：高13厘米　宽9.1厘米

壶身由八个筒形竹节镶接组合，大小等同，布局均衡规范。曲流、耳形把、桥钮，均取竹节状，棱角分明，造型奇巧，外形优美，线条曲直并蓄，周身雕镂竹之枝叶，玲珑剔透，主体感强。手工泥塑成器，做工精良，口盖吻合严密，有内胆。

高井栏壶

清代

规　格：高7.5厘米　宽13.8厘米

此壶泥色偏黄泛紫，器表砂粒隐现，且散布许多细小斑点，是烧结温度近临界点所致。把圈大，外扁平，里圆润，底圆而大。壶底钤"阿曼陀室"印款，把梢有"彭年"小章。壶身铭："汲井匪深，挈瓶匪小，式饮庶几，永以为好。曼生铭。"

昆明九道茶

　　九道茶主要流行于中国西南地区，以云南昆明一带为最。泡九道茶一般以普洱茶最为常见，多用于家庭接待宾客，所以又称迎客茶，温文尔雅是饮九道茶的基本方式。因饮茶有九道程序，故名"九道茶"。

　　赏茶：将珍品普洱茶置于小盘，请宾客观形、察色、闻香，并简述普洱茶的文化特点，激发宾客的饮茶情趣。

　　洁具：迎客茶以选用紫砂茶具为上，通常茶壶、茶杯、茶盘一色配套。多用开水冲洗，这样既可提高茶具温度，以利茶汁浸出，又可清洁茶具。

　　置茶：一般视壶大小，按1克茶泡50～60毫升开水的比例将普洱茶投入壶中待泡。

　　泡茶：用刚沸的开水迅速冲入壶内，至三四分满。

　　浸茶：冲泡后，立即加盖，稍加摇动，再静置5分钟左右，使茶中可溶物溶解于水。

　　匀茶：启盖后，再向壶内冲入开水，待茶汤浓淡相宜为止。斟茶：将壶中茶汤，分别斟入半圆形排列的茶杯中，从左到右，来回斟茶，使各杯茶汤浓淡一致，至八分满为止。

　　敬茶：由主人手捧茶盘，按长幼辈份，依次敬茶示礼。

　　品茶：一般是先闻茶香清心，继而将茶汤徐徐送入口中，细细品味，以享饮茶之乐。

紫砂加彩诗文方壶

清乾隆

规　格：高16厘米

成交价：RMB 1 980

清代壶艺，能算得上是名家的，应首推子贻。申锡曾和杨彭年合作制茗壶，敦朴如古铜器。壶工和文人、画家、刻工的合作，往往常见，而两个名壶手合作制一壶，先例则不多。当时申锡和杨彭年齐名，而居长，故有申杨之称。申锡的传器有：一、古铜色仿古中壶一具，内底钤"茶熟香温"篆文凸章，下钤"申锡"篆文小章，盖面摹古大篆十六字，近的处刻真书曰："右摹伯四敦铭十六字。小石镌"；壶身一面刻小篆曰："太岁在甲戌，初平五年，吴师。宜子孙"，一面镌真书曰："右录初平洗铭文，凡十五字，据阮氏拓本藏"，底 镌行书曰："甲辰仲冬彭年造"，全壶共刻67字，制作坚致朴雅，乍看如古铜器，所见申锡传器，当以此为魁首。二、白泥壶一柄，壶身作长方形，上小下大，錾流与的俱方，式度精巧严谨，一面刻"千石公侯寿贵"作凸形古篆，一面阴刻荷花荷叶，衬以芦苇。盖内有扁方形"申锡"楷书小章，底有"茶熟香温"长方篆书章。三、白泥方形硬耳提梁卤一持，一面刻凸形瓦当文，两面刻阴文菩提一丛，盖内钤"申锡"二字楷书方形小章，底钤"茶熟香温"章。四、香港茶具文物馆藏刻

梅桩紫砂壶

清代

规　格：高10.8厘米　宽14.6厘米

此壶少泥胎，呈深栗色。壶身、流、把、盖全部是用极富生态残梅杆、树皮及缚枝组成，作品是一件强而有力的雕塑，壶上的梅花是用堆花手法，将有色的泥浆堆积塑造成型，栩栩如生。壶身刻："居三友中、占百花上。鸣远。"篆书阳文方印。

乳瓯紫砂壶

清代

规　格：高7.8厘米　口径5.6厘米

此壶壶身一侧镌刻篆书"横云"二字，另一侧镌"此云之腴，之不癯。祥伯为曼公铭并书。"底钤篆是文"阿曼陀室"方印，把销钤"彭年"二字篆书阳文小方印。

竹铭方斗壶一具，左腹镌铭曰："一斗经醉，数石不乱。谢和石题。竹坪"，底镌"茶熟香温"及"申锡"二印。

与杨彭年同时的陶人邵大亨，清嘉庆道光年间宜兴上岸里(今上袁)人。他年少就享有盛名，杨彭年以精巧取胜，而邵大亨则以浑朴见长。"大亨虽陶人，而性孤癖……非值其困乏时，一壶千金，几不可得。"关于他的壶艺，高熙在他的《茗壶说·邵大亨》一文中称道："邵大亨所长，非一式而雅，善仿古，每博物，览古人名作，辄心揣手摹，得者珍于拱璧，其佳处，力追古人，有过之无不及也。……其掇壶，肩顶及腹，骨肉亭匀，雅俗共赏，无缵者之讥，识者谓后来居上。嘴錾胥出自然若生成者，截肠嘴尤古峭。口盖直而紧，虽倾侧无落帽忧，口内厚而狭，以防其缺，气眼外小内钜，如喇叭形，故无空塞不通之弊。……他人莫能为，即为之，亦如婢见夫人，无可仿佛，此亦仅以精密胜，不足尽君技之妙也。"这段翔实而又公正的叙述文章和邵大亨的传世佳作对照，品评确是恰当，没有夸张和虚誉。但

"文远"款小水平壶

清中期

估　价：RMB 20 000～30 000

成交价：RMB 28 600

贴花四方朱泥壶

清代

此壶凸起的堆贴纹饰，用的是本色泥坯，造成效果，使不抢眼的器表，蕴涵更深层的寓意。牡丹寓"富贵"，桃是"寿"，石榴是"多子"，蝙蝠是"福"，松竹梅是"清高"。

是邵大亨的艺名，远不出乡里，故外省很少有人知道他。甚至《阳羡砂壶图考》的两位作者也只是把他列在待考艺人中间，并说"大亨是壶肆抑壶工名，尚待考证"。

在我国诗歌、绘画、雕刻、陶瓷史上，以竹为抒情题材的作品屡见不鲜，而且总是和一个人的品质和操行紧密联系着。但在见闻所及的陶瓷中，除开装饰题材上习见的竹林、竹涧、竹石、竹梅、雨竹、风竹、翠竹、花竹以及屈指可数的几件仿竹提篮、仿竹笔筒外，要以邵大亨的束竹八卦纹紫砂壶和香港罗桂祥先生收藏的陈仲美款"束竹柴圆壶"最为写真。这件束竹八卦纹紫砂壶坯体用64根细竹围成，每根都是一般粗细，工整而光洁。腰中用一根圆竹紧紧束缚，微瘦些。圆底四周有四个腹部伸出的8根竹子作足，上下一体，显得十分协调，并且在形态上，把它做成一排连体的扁长带状，更增强了壶身的稳定性。壶盖的设计，不是像罗氏收藏的"束竹柴圆壶"那样，仍用一束竹子作盖，并且把它作成锯痕累累，略有高低，中心空空，以自然情趣取胜。这件"束竹八卦壶"，邵大亨似另有新的构思，他在壶盖贴出微

紫砂弦纹壶

清代

规　格：长16.5厘米

估　价：RMB 10 000～12 000

紫砂三友壶

清代

规　格：高9厘米

估　价：RMB 1 000～5 000

紫砂茶叶罐（一对）

清晚期

规　格：长11厘米

成交价：RMB 1 650

紫砂加彩六方壶

清中期

规　格：宽　25厘米

成交价：RMB 2 750

微凸出的伏羲八卦方位图，盖钮也做成一个太极图式，壶把与壶嘴则饰以飞龙形象，再加上选用64根竹子做成壶身，壶身之外又用32根小竹为底足，难道这不正是"易有太极，是生两仪，两仪生四象，四象生八卦"的一本万殊的两分法的象征吗？因此，可以这样说，当邵大亨着手设计这件紫砂壶时，除开把它作为一件茶壶外，他还要在结构上反映一点易学哲理，通过艺术手法，将《易经》中一分为二，再分为万象万物以及殊途同归的基本观念，在一件紫砂壶上具体地表现出来，丰富人的知识。这样的构思在中国陶瓷史上是空前的创举。

不难看出，邵大亨在制作这件"束竹八卦纹紫砂壶"时，不仅立意好，造型美，而且工艺也极为精致，壶身虽用打身筒法成型，但对64根竹子却一一雕成圆柱，根根相邻，可又根根相间，丝毫看不出修整的痕迹。壶把、壶嘴与壶口的高度相近，壶把和壶嘴所占的空间也大致相同，这就分外增加了壶的平衡和稳定，使紫砂壶的造型艺术愈臻完美。壶盖里，钤"大亨"楷书阳文印。

关于邵大亨的史料，现在能看到的很少。一说他和杨彭年、杨凤年是同一时期的著名壶手，但仅此一件"束竹八卦纹紫砂壶"就足以使人对他的世界观和艺术造诣有所认识和理解。这件紫砂壶无异是邵大亨自己写出的而不是用文字表达的一篇绝妙的陶人小传。

紫砂荷叶青蛙如意壶

清代

此壶采用红泥制作，色泽艳丽，壶身为如意形，用木板拓印松竹梅枝图案，而后镶接成型。盖为荷叶，钮作花，压盖嵌入，把塑成荷梗，流似青蛙，形制十分奇特。松竹梅图案，意喻岁寒三友之清高；菊花是"出污泥而不染"之物。

另一位制壶名手黄玉麟,也是清末宜兴陶人,一说苏州人。据《宜兴陶器概要》黄传所说:"黄玉麟,蜀山人,原籍丹阳,幼孤,年十三从旧里邵湘浦学陶器三年,遂青过于蓝。善制掇球、供春、鱼化龙诸式,莹洁圆湛精巧,而不失古意。又善制假山,得画家皴法,层峦叠峰,妙若天成。吴县吴中丞大徵,手镌印章赠之。大徵富收藏,玉麟得观彝鼎及古陶器,艺日进,名亦日高。晚年每制一壶,必精心构撰,积日月而后成,非其人重价弗予。虽屡空,不改其度云。"黄玉麟曾经被苏州的吴大徵及顾茶林先后聘请到他们家里专门为他们制壶。吴大徵是一个大官僚兼金石收藏家,黄玉麟在吴家看到许多古代的铜器和陶器,他把这些古器物的艺术特色融化到紫砂壶的创作中,技术更加精进。现藏宜兴文物陈列室的一件鱼化龙壶,壶盖有"玉麟"方印。壶呈紫红色,壶面有鲤鱼、青龙在云水中隐现,壶盖上有一龙首穿云而出,伸缩自如,首舌皆能摇动,从云端下垂的龙尾又构成了壶把。布局精致,灵妙天然,是一件精巧而不失古意的名作。黄玉麟所制茗壶,多圆式,选泥讲究,作品莹洁圆润,精巧工整。鉴赏家珍之,评价在杨彭年、宝年昆仲之上。其传器还有碧山壶馆藏朱泥大壶一具,色泽莹洁,制作

紫砂加彩温壶
清晚期
规　格:高13.5厘米
成交价:RMB 2 530

紫砂石鼓壶
清代
规　格:长18.5厘米
估　价:RMB 30 000～50 000

紫砂印花烹茶图壶
清代
规　格:高15.3厘米　口径4.8厘米
此壶壶身三面烹茶图画面用浅模印压,图中二人在茶楼的几案旁坐饮,一书僮在廊中煮水,另一书僮端两茶杯作送茶状。四周有松、竹、梅及洞石作陪衬。壶身另二面携划乾隆御制诗一首。

醇雅,脱尽清秀纤巧气,其风格直追明季诸名手。盖内有"玉麟"篆文方印。又藏紫泥大壶一持,格度浑厚,盖内钤"玉麟"二字楷书小章。又有一壶,铭曰:"诵《秋水篇》,试中冷泉,青山白云吾周旋。癸卯夏,俊卿铭,玉麟作"。按癸卯为道光二十三年(1843年)。盖内有"玉麟"篆文方印。

清代的制壶名手除上述几位外,还有邵友廷、何心舟、陈光明、王南林、陈汉文、程寿珍、俞国良等,都有过很多杰出的创造,各有不同的风格和艺术特色。

在紫砂壶上进行书画雕刻,始自晚明而盛于清嘉庆以后,并逐渐成为紫砂壶装饰工艺中所独具的艺术风格。在太平天国时

紫砂开光山水壶

清乾隆

规　格：高15厘米

估　价：RMB 180 000～200 000

"大清乾隆年制"篆书款。

粉彩仕女开光紫砂壶

清代

规　格：长19厘米

估　价：18 000～20 000

"文叙"铭。

期，釉彩绘画的技术也曾一度为紫砂工艺所吸取，给紫砂壶增添了不少光彩。

从现存实物和有关的文献记载可以看到，在明、清两代，著名的诗人、学者、书画家、艺术家赵宦光、董其昌、陈煌图、郑板桥、陈继儒、杨忠讷、唐仲冕、徐渭、陈曼生、伍元华、张燕昌、郑燮、吴大澂、吴昌硕、任伯年等人，都曾在紫砂壶上亲笔题诗刻字，连乾隆皇帝也有御铭书于紫砂壶上。这些诗、书、画、铭，一般都清雅淡远，寥寥数笔，诗情画意，与茶的色香味融为一体，大为品茗的人增添兴致。《阳羡砂壶图考》曾记郑板桥自制一壶，亲笔刻诗云："嘴尖肚大耳偏高，才免饥寒便自豪。量小不堪容大物，两三寸水起波涛。"借砂壶来发牢骚，这和郑板桥的性格作风有关。还有倪氏六十四研斋藏时大彬壶，底镌铭曰："一杯清茗，可沁诗脾。"沈子澈所制菱花壶茗曰："石根泉，蒙顶叶。漱齿鲜，涤尘热。"陈用卿制紫砂大壶，自镌"山中一杯水，可清天地心。"又一壶铭曰："瓦壶亲汲三泉水，沙帽笼头手自煎。"王沟山所藏陈鸣远制壶，底有铭曰："汲甘泉，瀹芳茗，孔颜之乐在瓢饮"。张虹所藏时大彬壶，底镌"叶硬红霜绿，花肥向日红。"又陈鸣远一壶底镌："器堕于地，可以掇也；言出于口，不可及也。慎之哉。"这显然是士大夫的明哲保身之道。又日本人奥玄宝所藏萧山市隐壶，底镌："闭门即是深山。"更是隐逸思想的表白了。以上这些明哲保身，愤世嫉俗和隐逸思想的壶铭，都鲜明地表白了士大夫的人生哲学。

由于壶铭盛行，在前人的著述中，还可以看到不少赞誉壶铭书法的文字。其中时大彬、陈子畦、沈子澈、陈用卿、项不损、郑宁侯、惠孟臣等在书法方面的成就都比较高。事实上，当时一般名手，几乎无不注意书法，即使自己不擅长此道，一壶制成，也必请善书者代为款署，像陈辰、汪大心诸陶人，竟是"陶中之书君"，专门替壶工们代镌书法。一代壶艺装饰风气，才会产生这些书家来，在紫砂壶身上，如此追求书法欣赏的满足，无疑是出乎文人雅士的要求。这个倾向进一步发展，就有文人亲自参与挥毫、捉刀了。事实也如此。《阳羡名陶录》说："予尝得鸣远天鸡壶一，细砂作紫棠色，上镌庚子山诗，为曹廉让先生手书。"《阳羡砂壶图考》说："沈子培太史藏六角中壶一具，式如宫灯，色浓紫，陈眉公题四言诗四句，分书于壶六页间，且代伯荂书款，珍品也。"张燕昌《阳羡陶说》有云："予尝于吾师樊相山房见一壶，题丁卯上元为尚木先生制，书法似晚研，殆太师之捉刀耳。"以上诸多实例，说明文人不但影响到紫砂壶的创作，而且又直接参与了壶艺创作活动，这股风气，经久不散。从此以后，紫砂壶的评价，每置壶艺本身不顾，反以书画、篆刻的优劣为转移，竟然发展到喧宾夺主的地步。表面看来，虽然是制铭名士和制壶名工"相得益彰，固属两美"，但在实际上，

紫砂大富汉泉壶

清代

规　格：高12厘米　口径4.5厘米

壶身一侧点塑阳文篆书："富人大万"四字，另一侧阴刻楷书铭文。壶流下方阴刻："名华十友参清玩。"盖钮顶贴塑阳文铜钺，上刻篆书："大泉五十"。壶底有一圆形凹面，上钤阳文篆书"杨彭年造"方印。

是重名士轻名工，许多名壶是以名士铭款而闻名的，这或许也是紫砂壶所以与众不同的特点所在。

纵观古今陶艺，利用绘画做装饰，也是陶瓷工艺的惯例。中国陶瓷器上的绘画，一向由两个绘画传统所分占，即民间绘画和宫廷绘画的两个传统。前者以宋代的瓷州窑和明代的一部分青花为代表，后者以明代另一部分青花与五彩以及清康熙、雍正、乾隆三代瓷器为代表，特别以古月轩最为著名。而宜兴紫砂壶上所镌之绘画，和上述两种绘画都没有姻缘。它的绘画，纯粹是文人的写意笔墨，这也势所必然，若不如此，便不能和整个宜兴紫砂壶的艺术风貌取得和谐。宜兴的紫砂壶，气韵生动，赏用兼备，它集中了古今诗词、文学、书法、绘画、金石、篆刻和造型诸艺术要素于一身，居然有和景德镇的瓷器分庭抗礼的气势，这也决非偶然。如果把当时景德镇的官窑瓷器比作院体画的话，那么把宜兴紫砂壶比作文人画看来也很恰当，这或许就是紫砂壶造型、装饰艺术的最大特色。

紫砂壶造型艺术在它的发展过程中，曾经一度出现华丽工巧的宫廷风格。虽然紫砂端朴无华的性格并不符合宫廷之华丽的口味，但是从康熙开始，御用紫砂壶也开始受到皇帝宠爱，雍正时，也曾屡下条子至景德镇御瓷厂要其按宜兴紫砂壶式样烧造瓷器。乾隆时，更有皇帝亲笔御题诗文于御用紫砂壶上。这个时候，无论生产的质与量，影响都是前所未有的。壶手如王南林、杨友兰、邵基祖、陈汉文、邵玉亭、邵德馨等都很著名，工宫廷风格，善制彩釉紫砂壶，在五彩花卉的堆贴上极其工丽；山水人物和阳文篆字都用紫砂泥嵌贴，每制一壶无不竭尽智力。

宜兴紫砂竹提梁壶

清代

规　格：高21.5厘米

估　价：RMB 20 000～30 000

石匏紫砂壶

清代

规　格：高11.5厘米　宽15.5厘米

此壶用紫砂红棕泥制作，砂质细润。身若茄梨，截盖与壶身浑成一体，一捺底，瓜柄钮，长圈把，曲嘴圆韵可爱，嘴唇额头制作精到，别有神趣，倾倒茶汤且不涎水。

赵梁钟式紫砂壶

清代

规　格：高16.5厘米

估　价：RMB 10 000～12 000

"赵梁"楷书款。

菊瓣紫砂壶

清代

规　格：高15厘米

估　价：RMB 30 000～35 000

"蒋燕亭"铭。

据记载，乾隆七年宫廷曾定制宜兴紫砂壶，乾隆皇帝每年往夏宫避暑时都要携带这批紫砂壶同往。这是仅有的一位定制宜兴紫砂的皇帝。香港罗桂祥先生指出，北京故宫博物院有两把紫砂壶极有可能真正是乾隆皇帝所定制的紫砂壶。这两把壶其中一把是六方型的，另外一把是圆身灯笼型的壶，前者为红色，后者为黄色，且都有同样的雕塑花纹，一边为皇帝的长诗，另一边则为园景。长诗的末尾一个"乾"字圆印和"隆"字方印，底无款。壶的其他部分亦无陶艺家的铭款。从这两把紫砂壶的形态来看，自乾隆皇帝开始已相当注重以诗画来配合壶艺，以增加紫砂壶的文学美感。

据查考，清雍正乾隆年间宜兴陶人邵玉亭，善制壶，工花卉，作品以典丽华贵为要。制壶周身绕彩，以宫廷风格为装饰艺术，并借鉴漆器、木器雕刻工艺，以堆花浮雕为力作。邵玉亭曾精心手制"乾隆御制"紫砂壶两把，一为六方型，一为圆身灯笼型，技艺精巧，工雅可观。两壶同样装饰，一面堆荷花莲蓬园景，一面贴乾隆御铭诗文："锦梭不藉天孙掷，练影中堆万簇花。设与水仙作春波，无边风月傲清华。"这两件紫砂壶现珍藏北京故宫博物院，是否就是香港罗桂祥先生所指当年乾隆皇帝定制的御铭紫砂壶？但是，这种宫廷风格的壶艺，为时却很短暂，作品也稀见传世。所以也不足以代表紫砂壶造型艺术的全部特征。

紫砂方壶

清代

规 格：高11.6厘米 宽6.8厘米

此壶形状似石碑，嵌盖与壶身合为一体。紫砂胎外部包锡。方流、方飞把、方圆钮，皆由玉器所镶嵌。包锡器面上再刻书画。陶工的用印多在壶内底。包锡以保暖，而镶玉则避灼人。步朗制包锡壶，为名门望族传器，从中可见道光年间的紫砂茗壶时尚。壶身铭："道光己丑嘉平月……步朗制。"

紫砂高灯贡壶

清代

规 格：高11.8厘米 宽15.2厘米

此壶形似高灯笼。圆弧底脚，圆线压盖与口相吻合，珠钮与盖浑成一体。三弯嘴，耳垂接榫壶把。用本山绿泥制作烧成后十分华贵。壶身一为开光堆雕《庭园烹茶图》，一面浮雕隶书乾隆诗，并署圆形"乾"字、方形"隆"字篆书印章。

紫砂三足壶
清代
规　格：长18厘米
估　价：RMB 1 000

紫砂提梁壶
清末民初
估　价：RMB 90 000~120 000

紫砂凤穿花壶
清代
规　格：高8.5厘米
估　价：RMB 1 000
"富记"款

紫砂梨形壶
清代
规　格：高13厘米
估　价：RMB 1 000

梅花周盘壶
清末民初
规　格：壶高84厘米　口径80厘米
估　价：RMB 25 000~35 000

加彩紫砂壶

清代

规　格：长17厘米

估　价：RMB 3 000～5 000

"客制"款。

朱泥壶一对（带原盒）

清代

规　格：高5.5厘米

估　价：RMB 10 000～18 000

朱泥紫砂壶

清代

规　格：16厘米

估　价：RMB 25 000～30 000

公某铭。

四、近代的造壶艺术

自清末至20世纪上半叶,紫砂壶上开始印有陶器店号的标记,紫砂壶的生产更为商业化,而壶上的刻铭也更专业化了。当时流行复古的风尚,秦汉瓦当、汉泉及西周彝器铭文的拓本,经常用于紫砂壶上的饰纹中。20世纪初,紫砂壶、器多次参展、参赛,并获多个国际博览会金奖,从而刺激了该行业的工艺发展。这时期的制壶名家以程寿珍、冯桂林为代表。

从清代乾隆、嘉庆年间开始,金石考古之学盛行,官僚、士大夫阶层爱好古代钟鼎彝器等文物,他们也把这种爱好引入了紫砂壶艺之中。这种好古风气到清末则更为流行。清末金石家、文学家吴大徵,同治进士,官至湖南巡抚,甲午战争曾督湘军出关御敌,因兵败而革职。回到吴县家中,他专心将搜集的钟鼎、玺印、陶器、古钱币等文字撰写成《说文古籀补》,又集录所藏各家彝器铭文拓本为《愙斋集古录》。其恒轩所见藏《吉金录》、《古玉图考》等著作,都成为紫砂艺人作为镌刻壶铭的主要参考资料。

紫砂瓜形壶
民国
规　格:高12厘米
成交价:RMB 1 980

茶壶
近代

玉环怡情紫砂壶
现代
估　价:RMB 10 000~20 000

与黄玉麟同期的另一位清末紫砂艺人俞国良(1866~1937年),曾被吴大徵请去制壶。俞国良特为其制一紫砂大壶,并镂铭文:"渊其中,骏其色,是茶仙,有琴德。"并署小款"甲午东溪生书并刻";另一面刻仙人像,"愙斋"印。俞国良为吴大徵制壶,工细精巧,技艺纯熟,壶的体态雍容谨慎,正如主人之敬恪恭俭。所作红泥四方传炉壶,现藏于宜兴紫砂工艺厂陈列室,此壶于1932年曾获得芝加哥博览会的奖状。壶的造型方中寓圆,棱角浑朴有致,底、腹、口规矩而挺拔有力,是继传统造型中别具特色的造型,时人誉为制作精朗而气格浑成。

俞国良的作品多钤"国良"和"锡山俞氏"印,根据后一印,可得知俞氏是锡山人。1937年,他又有一件紫砂壶参加江苏省产品展览会并获得特别奖。这是一件六瓣梅花形茶壶,表面高度抛光。为了纪念这次的成功,他造了很多同类式样的茶壶,其中一件现藏宜兴紫砂工艺厂陈列室。这个壶的底部钤二印,上面一个印很自豪地说明这壶赢得奖项,印文是"江苏全省物品展览会特等奖状。俞国良";下面一个印是"民国廿五年,时年六十三。"俞氏也曾为吴德盛陶器公司生产同类紫砂壶。据说在美国三藩市的一个私人收藏中有一个抛光六瓣壶,虽然盖内钤"国良"印,但底上却无宜兴紫砂工艺厂陈列室藏壶的两印,而只有吴德盛陶器公司的"金鼎商标"标志。俞氏的传器还有一件朱红泥大线圆壶,造型身扁而有神韵,饰圆中带方的腰线与嘴、銴相呼应而浑成一体,口盖吻合,呈半球形,圆浑、秀丽,不失大家风度,成为后人的楷模。

俞国良一生奔走四方,留下了许多名作,底款还有"锡山俞制"等。他65岁时即主动作后事安排,将造壶艺术传于后人,并特意嘱以印款"锡山俞传",让继子邵宝琴保留和发扬制壶技艺。他还带有一个徒弟李宝珍,所制茗壶亦有俞氏风格。

黄玉麟紫砂壶

规　格：长10.5厘米

估　价：RMB 25 000~35 000

俞国良紫砂梅花形壶

民国

规　格：长19厘米

估　价：RMB 6 000~8 000

紫砂茶具（五件）

民国

估　价：RMB 8 000~12 000

"江案卿"款。

紫砂三足壶

民国

规　格：高16厘米

估　价：RMB 1 000

"花章、宝珍"款。

1910年4月28日至10月28日，在南京举办了我国"南洋第一次劝业会"，其宗旨是为奖劝农工，振兴实业。江苏宜兴阳羡陶业公司的紫砂陶器获金奖，宜兴物产会的海竹顶、宝鼎及大市壶等10件紫砂产品获金奖。

辛亥革命以后，宜兴芳桥开明人士周文伯为振兴紫砂业，亲自到蜀山访贤，复兴陶业。得知宜兴川埠上袁村的前清秀才邵咏棠善于紫砂行业，即聘为利用公司经理，管理紫砂壶的制造，并在上海、天津等地开行设店，扩大经营业务。1915年该公司的产品荣获巴拿马国际赛会头等奖，获奖作者为程寿珍等。继后利用公司改名利永公司。1926年，紫砂壶、杯、碟在美国费城世界艺术博览会，1930年比利时国际博览会参展、参赛，并先后获金奖、银奖。其时还在蜀山创办了陶工传习所，招收20名紫砂艺徒，由邵云儒传授紫砂壶陶刻技艺，并逐渐形成了一支陶刻专业

石铫壶

现代

紫砂五竹壶

近代

规　格：高10厘米　口径6.1厘米

五竹壶是颇具现代设计观的竹节壶。该壶整体似一段竹，四周竖立一节劲竹，中间竹节分割，平中有意。嵌盖结构，既切体又有变化。壶钮形似主体而缩小。把一竖杆二横杆，似竹器结构，巧若天成，壶嘴向上顺势伸展，呈高风亮节之态，整器寓圆于方。底钤"卷翁"印款。

紫砂雪华壶

现代

估　价：RMB 15 000~25 000

艺人队伍；由著名艺人程寿珍、范大生担任制坯技师。后来的著名紫砂艺人冯桂林，就是这批艺徒中的佼佼者。

程寿珍(1857~1939年)，自号"冰心道人"，是近代勤劳多产的名艺人之一，师承其继父邵友庭。所制掇球壶最负盛名，曾多次获国际奖。掇球壶犹如大、中、小三个圆球叠垒，稳健丰润，端正完美，口盖紧密，1915年在美国旧金山举行的太平洋万国巴拿马国际赛会获头等奖后，有"价随声高"之誉。尔后所制掇球壶，一律都有三个印记：壶底内钤"寿珍"篆印，壶盖内钤"真记"楷书小印，而壶底外所镌之铭文印记多达24字篆文："八十二老人作此茗壶，巴拿马共和国货物品展览会曾得优奖。"82岁所作之壶传世的共有10把，亦有赝品流传，真伪易辨。寿珍壶的早期作品，壶底一般钤"冰心道人"四字篆印。此外，程寿珍所作的仿古

陈盘根制攫球加彩花卉纹砂壶
民国
规　格：长17厘米
估　价：RMB 5 000～7 000

紫砂猛虎圆壶
民国
规　格：长16厘米
估　价：80 000～100 000

梅椿紫砂壶
民国
规　格：高12厘米
估　价：RMB　1000

紫砂水仙圆壶
民国
规　格：长16.5厘米
估　价：RMB 40 000～60 000

云纹紫砂壶
民国
规　格：高10厘米
估　价：RMB 1 000

紫砂君德方壶

现代

规　格：高13.9厘米　宽17.2厘米

此壶用紫调砂泥制作，淳朴古雅，端静有致。造型以几何形体入手，受君德壶线型启示，划平竖直、距方端正的形体。口收，脚缩，腹丰而不臃，秀而不瘦呈"酉"字形。壶饰《怀素蕉叶习书图》，并刻词："学书贫无纸，取焦叶练字，书穿盘与板，名与张旭齐。"

壶，气度也不凡，其䎉特别粗，盖大而扁平，线型粗细对比得体，壶身、肩、肚、底、盖、钮，骨肉亭匀，错落有致，秀丽中见巧思。而另一件汉扁壶佳作，圆中见方，嘴连肩至䎉，贯成一气，肩平盖方，不愧为大家杰作。

当时还有一位署名"大生"的制壶名家，宜兴太湖之滨蜀山东侧的西望圩人。其父范生大，本人名大生，其子名承甫、锦甫。范氏家族三代艺人在紫砂壶上同用一个"大生"印款，用了数十年，留下为数较多的紫砂壶名作。传世作品中有一个为利用公司参加1915年的巴黎博览会而造的紫砂壶署有"潜陶"的铭文；另一件由"潜陶"加上纹饰的样本是一把六方瓜楞壶，外表施白色带开片的釉，釉上绘以蓝彩山水，并附铭记说明"潜陶居士"庚申仲冬月（1920年）作于"利用南窗"；壶盖内钤"大生"楷书印。范大生是一个多产的壶艺家，他同时还为宜兴的吴德盛陶器公司和上海的铁画轩陶器公司造壶，该公司曾展览过的花形壶（即六瓣合菱壶）也是他的作品。壶呈上下三组如意菱花，交错重叠，整体感强，如美玉婷立，茎纹深浅自如，盖可转换匹配，属筋纹器造型中的上品。另一件梅花树桩壶是后来实用梅段壶的雏形。壶嘴、䎉、钮均以奇崛的枝干构成，且附上一派生机的梅花，壶中间干裂的树皮逼真，产生一种光与皱的质感肌理的对比，富有情趣。还有一件雪桃壶是大生在利用公司所制简朴尤润的壶式中，造型顿具新意的作品。壶盖钮上点缀寿桃枝叶，壶身装饰铭文题款，作品赋予紫砂壶造型艺术以

新的生命。范大生一家祖孙三代艺人同用一个"大生"印款，历时数十年，时出新意，实为罕见。

20世纪初期在宜兴吴德盛陶器公司出品上署款用别名的还有岐陶，这是吴德盛店主吴汉文的笔名，他能亲自操刀在紫砂壶上镌铭刻画。还有以"漱石"、"岩如"、"石溪"、"友石"、"缶硕"、"干庭"、"耀庭"等款印署名的，都是这一时期的专业紫砂艺人。当时宜兴还有一家陈鼎和陶器厂，其出品上有"陈鼎和陶器厂"印记，而有些则刻有英文C.T.H.Co的字样。该公司经理陈元明亦擅书画陶刻。传世作品包括紫砂壶、茶具、茶杯、鼓暖杯（杯外有鼓腹形的暖水盛器，用于温酒，又称暖酒怀）、羌罐、笔洗、花瓶等。这些紫砂器上的纹饰是典型的20世纪风

紫砂龙头一捆竹壶

现代

规　格：高8.5厘米　宽18厘米

此壶用上等底槽青泥制作，色泽嫣紫沉朴，壶表隐现珠光。壶身由64根竹子均齐排列，分四组重合，盖与底采用八卦星象图案装饰，且在盖内增加阴阳八卦，与外表相吻合对称。束腰之竹镂空精致，64根竹的上端均刻有小圆圈，以示竹心中空。把和流雕饰龙首，曲与方均势平衡，口盖配合丝严合缝，四脚平稳严谨慎密。壶底内部钤"王小龙"方印，盖内有"王"、"小龙"两小章，把梢下有"小龙"小腰圆章。

诗文茶具

民国

规　格：高8厘米

线云紫砂壶

现代

规　格：高8厘米　宽18.5厘米

壶身用两泥片合制作成扁球状，口部与半球状盖相切，壶底简洁，为一捺底，桥梁钮与盖浑然一体，底钤"吴云根制"，四方印，盖内有"云根"小方印。

格，兼备书刻各以及诗词、绘画(山水、翎毛、花卉)等。铭文多有陈元明亲自签款，如陶刻行书"阳羡陈鼎和作于蜀山一叶轩"。

香港茶具文物馆还藏有陈鼎和公司出品的一件钟形壶。壶面开光，是1920年～1930年流行的造型和纹饰，壶面刻唐诗《枫桥夜泊》，盖面刻行书"茗茶清香"四字，底印"陈鼎和造"阳文圆形篆书款。据说美国私人收藏中有两个宜兴紫砂壶，印有China和C. T. H. Co字样，也都是陈鼎和为出口而制造的。其一是黄色瓜形壶，盖钮纹饰捏塑成狮形(此件紫砂壶属芝加哥钟氏的藏品)，另一件是梅枝形壶外施黄、粉红和绿釉(此件属美国帕洛·奥尔图，卡罗尔·佩克姆的藏品)。从这两件紫砂壶传器中，可以窥见当时流行的出口紫砂壶类型的风格。

紫砂曲壶

现代

估　价：RMB 50 000～70 000

该壶的设计删繁就简，抽象神现，造型奇特，线条流畅优美。

紫砂松鼠葡萄

茶具

现代

当年上海的铁画轩陶器公司创办人戴国宝，原是一位刻瓷名手，书法精妙。他以铁针刻画花纹在瓷器之上，故名其公司为"铁画轩"，借以表明其职业的特色。20世纪初期，戴氏的兴趣由刻瓷转移到刻陶，在宜兴买坯，在自己工场加以纹饰。公司的印记是"铁画轩制"阳文篆书，外围以圆框或方框；又有"戴氏"方印，自署"玉屏"、"玉道人"。铁画轩的出品上可能有陶工、刻工、公司、店主等多个印章和铃记。当时向铁画轩供应素坯最多的宜兴陶工是蒋燕亭(当代名家蒋蓉的叔父)。蒋燕亭是20世纪初25年间仿制陈鸣远作品的主要紫砂艺人。蒋燕亭有好几个别名：彦亭、志臣、宏高等。其他供应铁画轩素坯的宜兴陶工、艺人还有：程寿珍、范大生、陈光明、李宝珍、汪宝根、吴云根和王寅春等，这些都是20世纪初期的紫砂名手。1927年戴国宝去世后，铁画轩店务由遗孀管理。其子戴相明生于戴氏去世前三年，成年后始接掌父业。相明别字莲生，亦善书刻，在铁画轩产品上可见到他的刻款名字。

1937年～1945年，日本帝国主义入侵中国，占领宜兴窑场，给紫砂业带来一场深重的灾难，艺人流散，行业衰落，这一时期的杰出代表为一度被誉为"紫砂英才"的冯桂林。

冯桂林(1907～1945年)，自号卷翁，宜兴宜城镇人，是江苏省立陶器工厂蜀山"陶工传习所"首批艺徒中的高材生，满师

南瓜形壶

现代

后成为紫砂工艺一代名家。20世纪初期，实业救国的呼声日高，在江南的北洋军阀政府，见紫砂业有利可图，投资数十万银圆，于1918年在蜀山开办了江苏省立陶器工厂，由省议员潘宝熙任厂长，邵咏棠当管理，汪裕文当总务，徐景森当庶务。年仅15岁的冯桂林等20名学员成为省立陶器工厂陶工传习所的第一批艺徒。当时聘请程寿珍、范大生、汪生义教制坯，邵云儒教刻字。教学方式十分严格，经常举行考工比赛，而冯桂林总是名列榜首。由于冯桂林待人诚恳，勤奋好学，又讲信用，当他一满师毕业，就受到同行的好评，各客户都聘他制坯。他在宜兴吴德盛陶器公司、利永陶器公司制坯，声望尤高。1930年，汪裕泰在杭州西湖边开设汪庄茶叶行，兼营上档的紫砂茗壶。即

紫砂陆羽壶

现代

规 格：高15.6厘米 宽11厘米

此壶壶胎用紫砂泥制作，色泽纯朴古雅。器身为井栏式，井以陆子文学泉的三眼井为壶盖，以飞翔而归的大雁为壶钮，象征陆羽茶圣少年时曾在此井汲水煎茶。

紫砂云龙壶

现代

规　格：高9.1厘米　宽12.4厘米

云龙壶基于鱼化龙壶造型，壶呈紫红色，壶身浮雕夏日流动的彩云，塑作两条巨龙在云层间翻腾，神态矫健，变幻无穷，其中有一条龙钻出了壶盖，龙头能伸能缩，犹如穿行在云海之中。

紫砂天柱壶

现代

估　价：RMB 40 000~60 000

十八棵御茶的传说

　　相传清朝乾皇帝巡视江南，一天来到龙井村狮峰山下的胡公庙歇脚，庙里的和尚端上当地的新茶，乾隆帝本来就精通茶道，但一见那茶，不由得叫绝称道，只见洁白如玉的瓷碗中，片片嫩叶犹如雀舌，茶汤翠绿明亮，还透出阵阵幽香，品尝之下，只觉颊齿生香。乾隆帝问和尚此为何茶，产于何处，和尚回答为小庙自产的龙井茶，乾隆帝走出庙门，但见胡公庙前碧绿如染，十八棵茶树青翠欲滴，一时兴起就当场封这十八棵茶树为御茶树，自此龙井茶声名远扬。

收藏知识

紫砂亚明四方壶

现代

估　价：RMB 40 000~60 000

紫砂平盖菊瓣茶具
现代

聘冯桂林前往杭州制作茗壶。其时帮老板制壶，壶坯印款一般都用店斋号记，而冯桂林只以"卷翁"两字作章款。汪庄茶叶行所售紫砂茗壶档次较高，因而店号的名气也就较大。在风景秀丽的西子湖畔，冯桂林潜心于创作，其壶艺得到了充分的发挥。起初，他还只是制作一些当时流行的款式，如线圆壶、仿古壶、佛手壶、核桃壶、柿子壶等。随着环境的薰陶，时代的要求，使他萌发着造壶艺术要创新的意念。紫砂壶圆器较多，他一反圆的变化，在圆中求方，圆中抽角，以角线为主体，构成"四方折角壶"，配上四个杯子，充分体现出紫砂工艺的线面巧合的精湛技艺。在传统造型的基础上，冯桂林又以筋纹线变化于壶体，他创作的"葵仿古"壶也深得时人赞赏。

冯桂林在继承紫砂传统工艺基础上，虽屡出新壶，仍满足不了他的创新欲望。他终于走出了传统，向美丽的西湖风物采撷创新的素材。杨凤年的圆竹段壶，对他有所启发，他就抓住竹的主题特征，运用图案组织的方法，加以提炼、巧合，锐意创新。在设计时，以大圆竹中嵌进四枝小竹筒，捏塑竹节嘴、竹筒、把，与一组竹节钮盖相连结，而伸出一小竹枝构成的壶把，

紫砂将军壶
现代

十分生动的描绘了竹的生机，且诱发出茶的清香。这件新作问世后，深得品茗者的好评。他先后设计创作了许多新壶，如：竹根壶、上松段壶、上圆竹段壶、三友壶等等。

冯桂林热爱家乡的毛竹，宜兴毛竹的特征是粗壮、实用。有一次，他漫步于杭州黄龙洞，苍翠的山麓，出产一种四方竹，枝小秀雅，一下迷住了冯桂林。他在此地反复观赏、写生、采集，欣喜万分地跑回杭州南面的汪庄，用娴熟的技巧，将四方竹活脱脱地塑造出来。他仅用半段竹筒制成方中带圆的壶身，壶把在竹段中出枝，左右两边竹节间又生出小枝及竹叶，配以四方嵌盖上安一小竹节，四周以回旋式装饰竹叶。此壶造型简洁，烧成后，立即成为时人称道的紫砂名壶。不久他又为其配置成四

紫砂掇球壶
现代

紫砂仿树根茶壶

民国

规　格：高 9 厘米

成交价：RMB 550

个小杯和碟，四个杯子也有特色，每个杯子的竹叶方向不同，以体现竹在风雨晴雪中的娇姿。这就是冯桂林成名的杰作——四方竹段茶壶。

　　清末紫砂壶出口产品，较少镌刻诗文书画，而采用贴、塑法装饰壶体，但所饰的梅花、竹子比较粗俗。冯桂林决意改变这种状况，他虚心向名画家请教，到大自然中写生，从而又创制了"上梅桩茶具"。此壶造型抓住梅桩苍劲奇倔的节疤，扭曲多姿的身段，凌风傲雪的梅枝，含苞待放的花朵，将正、侧、反各种姿态的花苞，装饰于壶体，恰似一幅秀美立体工艺花卉。在制作中技巧熟练，毫无修琢之气。尤其对细部桩节的生态，梅枝的结构，花朵的刻画，一点都不含糊，确实令人叹服。1970年，宜兴紫砂工艺厂筹办赴美展品，一代名师朱可心发现民间收藏冯桂林的"梅桩茶具"后，赞不绝口，特借于身边进行复制。后辈工艺师汪寅仙、何道洪等也纷纷临摹，从中学习造型艺术的技巧。

　　冯桂林不愧为紫砂名手，一代英才。他传世的名作还有福寿蟠桃壶、龙头玉环壶、佛手壶，凡壶把梢上刻有"卷翁"印记的，都是他的得意之作。他在杭州汪庄两年，创作了许多新品，之后回到家乡宜兴，又受吴德盛之聘，制壶均用"金鼎商标"作印记。受聘为许立生制壶则用"立信"印章作记号。此外，还受聘蜀山吉三大等处以制壶或卖坯谋生。

　　冯桂林在当时紫砂同业公会中享有很高的声誉。他性格温雅，为同行做事，从不表功，人品高尚。他不仅精于壶艺，还

紫砂十二花神壶之一　提梁石瓢石榴壶

现代

规　格：高11厘米

估　价：RMB 8 000～10 000

成交价：RMB 8 800

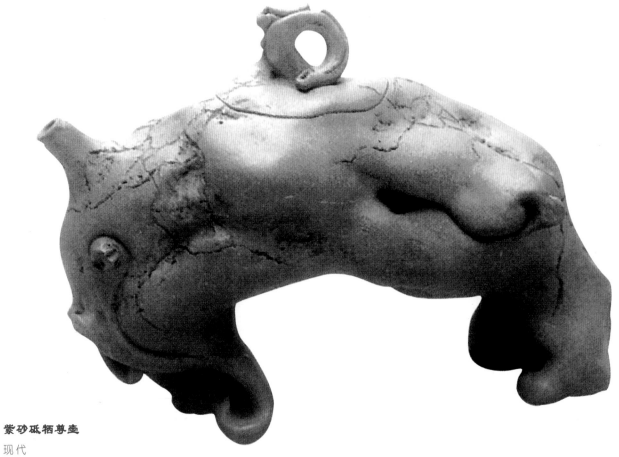

紫砂砥牺尊壶

现代

规　格：高12厘米　　宽14厘米

此壶用本山绿泥添加紫泥制作，呈团山泥米黄色。流作独角状，嵌盖与壶身切合，置一曲柄作钮，省却壶把，以泥条捏筑的凹块，利于手指拿握，掌心切于壶尾，用压印点戳，产生古穆的肌理效果，力度张扬，表现原始粗犷的雄浑之势。壶身钤"建明陶艺"印款，盖内有"建明"圆形小章。

金枫紫砂壶

现代

北京的大碗茶

　　喝大碗茶的风尚，在汉民族居住地区，随处可见，特别是在大道两旁、车船码头、山道凉亭、车间工地、田间劳作，都屡见不鲜。

　　这种饮茶习俗在我国北方最为流行，尤其早年北京的大碗茶，更是名闻遐迩，如今中外闻名的北京大碗茶商场，就是由此沿习命名的。大碗茶多用大壶冲泡，或大桶装茶，大碗畅饮，热气腾腾，提神解渴，好生自然。这种清茶较粗犷，颇有"野味"，但它随意，不用楼、堂、馆、所，摆设也很简便，一张桌子，几张长条木凳，若干只粗瓷大碗都可，因此，它常以茶摊或茶亭的形式出现，主要为过往客人解渴小憩。

　　大碗茶由于贴近社会、贴近生活、贴近百姓，自然受到人们的称道。即便是生活条件不断得到改善和提高的今天，大碗茶仍然不失为一种重要的饮茶方式。

收藏知识

紫砂壶

现代

能塑造观音、佛像、紫砂香炉及三脚蛤蟆等雕塑作品。他每次创作的新品，都以线描图，记录在一个小金折页中保留下来。冯桂林壶艺精湛，名传遐迩，但生不逢时，正当他年轻有为之时，遇上抗日战争，生活艰辛，贫病交加，受尽折磨。1945年抗日战争胜利了，但冯桂林却不幸病故于前墅，年仅三十九岁。当时宜兴陶业界十分惋惜这位紫砂英才的过早辞世，宜兴《民锋报》曾以半版篇幅刊载冯桂林生平事迹和壶艺成就，紫砂同业公会特为其举哀。

自19世纪末至20世纪上半叶之间，紫砂壶艺为了应付广大市场需求，精心制作富有艺术价值的作品相应地减少了，但大量生产之中仍间有名家名壶出现，像程寿珍、冯桂林、俞国良、范大生等都是近代名家。此外，还有陈光明、范鼎甫、陈少亭、汪宝根、汪宝洲等艺人，也为紫砂工艺做出贡献，并有传器存世。

从1937年至1953年间，在宜兴蜀山有一家专营紫砂的毛顺兴陶器店，店主毛顺兴是毛国强的父亲。毛国强笔名一栗，是最出色的紫砂陶刻工艺师之一。毛顺兴主要经营紫砂壶，当年，陈宝生、沈孝鹿(孝陆)和吴云根，都曾为该店做事或供应素坯。毛顺兴的出品大部分由任淦庭加以饰纹。任氏又名干庭，字缶硕，号潄石、石溪，别号左民、聋人，是20世纪宜兴紫砂工艺最重要的陶刻名家。他早年也曾在吴德盛陶器公司工作过。当时的著名陶刻艺人还有陈少亭、朱葛勋和谈尧坤等，各擅其长，继往开来。

紫砂追月壶

现代

规　格：高14.7厘米　口径4.6厘米

壶身呈月型，下圆向上翘起，肩部两条充满生命力的弧线，似弯弯的月亮。弧线顺势两头仰起，两侧设圆孔，用金属丝装配，与壶身呈半圆的月亮。

紫砂瓦当壶

民国

规　格：高12厘米

估　价：RMB 1 000

"吴云根制"款。

紫砂报春壶

近代

规　格：高11厘米

估　价：RMB 1 000

"朱可心"款。

紫砂壶

民国

规　格：高7厘米

估　价：RMB 1 000

"晓燕制陶"款。

紫砂壶

民国

规格：高7厘米

估价：RMB 1 000

紫砂二龙戏珠方壶

民国

规　格：高10厘米

估　价：RMB 1 000

"民国十八"款。

"云居寺"铭紫砂钵

民国

规　格：高13厘米

成交价：RMB 550

要参考19世纪初期刊印的《金石索》、《金石录积古斋钟鼎彝器款式》等书籍,清末的海上派名画家如任伯年的花鸟画也广为引用。《芥子园画谱》、《风雨楼画集》等,也都是紫砂陶刻艺人的参考资料。20世纪初的紫砂壶纹饰,上承清末的传统,在壶上刻山水、花鸟、古钱、瓦当等;在另外一面则刻上两三行诗句。诗文多由《唐诗三百首》及《千家诗》中选出。书法则正楷、行草、古隶、篆书俱全。20世纪初由当时紫砂名手王寅春所制一件白泥卵形小壶,壶底就有仿新莽的"大泉五十",围绕铜钱是篆书"甲戌五月,湖东汾阳后人制"铭。再如,美国芝加哥自然博物馆所藏的方壶,也是此类代表作品。壶的一面所镌北周大象冈山摩崖石刻,可能是照清代《金石索》卷五中摹刻的(原石在山东邹县),刻者是漱石,他在陶器上将石刻的粗糙肌理仿刻的十分神似。作者行书作跋文指出此北周摩崖是摹金石本的,在壶的另一面则刻画了柳下渔舟及天空飞鸟。

在20世纪20～30年代,一些上海商人为满足宜兴紫砂壶收藏家的需求,想出了一个高明的办法。他们邀请宜兴名手到上海制造赝品。制造这些"杰作"的时间并无限制,三月或五月不等,务求精益求精。因此,陶工们可以创作一些精品,其质量远胜于他们供应宜兴和上海各陶器公司的素坯。这些陶工、艺人包括蒋燕亭、王寅春、裴石民、顾景舟、蒋蓉。据悉二蒋和裴氏三人都曾仿清初以制象生器著名的大家陈鸣远的作品。

紫砂组合茶具

现代

规　格:高13.5厘米　口径8.1厘米

这套组合茶具,整体为上下两段的组合结构,上段为壶身,长嘴、扁平圈把、直身、平肩、嵌盖、柱钮,形制在统一中求变化;下段为四面洞开,恰好容纳四个茶杯,集壶、杯于一体,匠心独运。茶杯藏于壶腹之中,不露痕迹,足见制作功力,令人叫绝。壶上镌刻铭文:"紫泥新品泛春华,道洪新作,一粟书。"

综上所述,20世纪初期主宰宜兴紫砂壶生产的并非文人雅士,而是上海的一群工商业家。在上海、无锡、天津和杭州等城市都有很多专营宜兴陶器的商店。其中有代表性的就是陈鼎和、吴德盛、铁画轩、利用公司和葛德和。所有的店铺都在宜兴订货而且每间店铺都有自己的艺人从事纹饰紫砂壶的工作。有部分店东本身还是擅长书画的,能亲自奏刀、刻上书画铭文。这时期的紫砂壶最少印有两个印记,即陶工名字和店号。壶身装饰也有两个名字,其一是店东,另一个是雕刻纹饰者。装饰手法上承19世纪初期风格,摹刻名画和不同书体两者并兼。碑版和钟鼎文摹刻盛行,而秦汉时古钱和瓦当的图案亦不少。主

紫砂咏梅壶

现代

规　格:高13.8厘米　宽18.8厘米

此壶以黄团泥制作,以手捏团泥的方法成型,梅桩段以壶身,塑虬枝为壶嘴与壶把、面浮雕身被羽氅的老年陆游策仗立像,颦眉深思,垂目望梅,旁有一僮袖手在风中伫陪。壶身另面镌刻陆游以梅为喻,乱世明志的绝唱"雪落成泥碾作尘,只有香如故。"盖内钤"家声陶艺"异形章,底钤"邵家声"葫芦形章,盖面钤"邵"字小章。

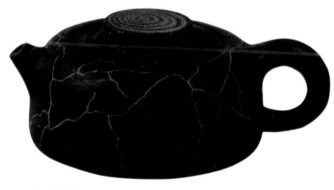

古井移木紫砂壶

现代

紫砂梅花壶

民国

规　格：宽19厘米

成交价：RMB 990

金瓜银豆壶

现代

规　格：高14厘米　宽15厘米

此壶用墨绿泥、团山泥、青灰紫泥多种泥制成，色泽丰富，巧形巧色，散发出田园美景之清香。壶身由豆叶夸张演化而成，口盖设计巧妙，与壶身叶筋镶嵌天衣无缝，壶嘴、壶把采用豆藤与豆节相间交叉，衔接过渡自然，布局适度有致，且一气呵成。底钤"高丽君"印款，盖内有"丽君"小章，把梢下有"高"字小方章。

有关这些赝品的样式，有人推测是来自《故宫月刊》(创刊于1929年)。通过这份刊物，人们接触到紫禁城宫殿内的大量钟鼎彝器和其他奇珍异宝。上海商人亦向这些陶工、艺人提供自身的秘密样本。另一个来源似乎是日本奥三郎兵卫(又名奥玄宝、奥兰田)著的《茗壶图录》。该书于1878年在东京初次印行，20世纪初在中国翻印。其中有32幅各时代紫砂壶的线描图及清晰的铭文和印章拓本。毫无疑问，此书曾经是在上海工作的陶工艺人的参考资料。

五、现当代的造壶艺术

从20世纪50年代到如今，紫砂壶的造型艺术和装饰工艺踏进了历史发展的空前繁荣时期。古老的紫砂工艺，呈现满园春色、万紫千红的景象。艺人们在继承传统的基础上，不仅使失传几十年的优秀品种逐渐恢复，而且还创造了1000多种新产品。几何形(包括圆器、方器)、自然形(又称塑器)、筋纹器及小型壶、水平壶四种类的紫砂壶都有出产，色彩包括白泥、红泥、紫砂、青蓝泥、梨皮泥等十多种，纹饰运用了浅浮雕、印花、贴花、镌刻及金银丝镶嵌等新工艺。现当代的造壶艺术以顾景舟和蒋蓉为代表。著名老艺人还有朱可心、裴石民、王寅春、吴云根、任淦庭等。他们的技艺是多方面的，但又各有所长。顾景舟技艺全面，喜作素式茶壶；王寅春、吴云根则以筋纹器为主；朱可心、蒋蓉又善制雕塑纹样装饰的壶；裴石民除专长制壶外，还以制作形色逼真的花果小件著名；而任淦庭则以书画陶刻称著于时。他们除了精心创作外，还培养了数以百计的青年艺徒，使紫砂壶这一传统工艺后继有人。过去的所谓"养儿防老，留艺

紫砂壶

近代

紫砂竹段提梁壶

现代

估　价：RMB 50 000~75 000

竹鼠紫砂壶

近代

规　格：高9厘米　宽12.2厘米

此壶造型源于杨凤年之竹段壶，在其原型上作些增删，壶身分三节，口面有竹节，凸出的竹筒为嵌盖，一松鼠作壶钮。

防身。教会徒弟，饿死师傅"、"传子不传女"等情况被根本改变。新一代的陶艺师在成长，他们不但在传统上有所继承，而且创造不少新颖的作品。

现当代最著名的壶艺家顾景舟先生是国家授予的"中国工艺美术大师"，被海内外誉为"壶艺泰斗"。他在紫砂壶艺上有极为高深的造诣，施艺严谨精湛，作品不拘一格，且善鉴赏古器，是国内外公认的紫砂壶鉴赏权威，其造壶艺术可与明代时大彬等并称。

顾景舟，原景洲，早年别称曼晞、武陵逸人、荆南山樵，晚年自号壶叟，1915年9月10日出生于宜兴川埠乡上袁村的一个紫砂陶世家，祖辈都是制壶好手。他年少读书，曾受教于蜀山东坡书院吕梅笙先生，研习古文，自幼打下了较好的文学基础。18岁那年，刚跨出中学校门的顾景舟便继承父业，开始了陶艺生涯。跟随祖母邵氏制坯，立志于紫砂壶艺。历经两年的刻苦磨练，练出一手扎实的制作功夫。

上袁村是宜兴紫砂壶的发祥地，明清以降，500年间，先后有陈用卿、惠孟臣、陈鸣远、邵旭茂、邵大亨、邵友泉、邵友廷、黄玉麟、程寿珍、王寅春等十大名家生于斯，长于斯，成名于斯。青少年时代的顾景舟，就生活在上袁村这个紫砂发祥地。此地家家户户以紫砂为业，他耳濡目染，取长补短，同时攻读明、清人士写下的不朽名著《阳羡茗壶系》和《阳羡名陶录》，并在生产实践中总结前人经验。他年方二十，即在造壶艺术方面初露才华，跻身于同行业名手之列。

在20世纪30年代，顾景舟应上海古董商郎玉书之聘，到上海专事仿古制作，博采众长，这使他有机会接触到明清两代的许多名家名作，反复揣摩这些紫砂精品的传统造型，研究其制作手法，分析传世作品的精髓。经过几年磨练，他在艺术素养

何心舟紫砂壶

现代

规　格：长15厘米

估　价：RMB 6 000～8 000

"浙宁玉成窑造诣"楷书款。

紫砂半瓜壶

现代

规　格：长16厘米

估　价：RMB 6 000～8 000

紫砂福寿壶

现代

规　格：长19厘米

估　价：RMB 2 000～3 000

《汉韵》

现代

估　价：RMB 50 000～70 000

拉梅争春壶

现代

和鉴赏能力上,都得到很大的充实和提高。在制作的仿制品中,他追求形似并具神韵,技艺上严格要求,不久,作品工艺水平开始超越古人。现今北京故宫博物院和南京博物院藏品中由顾氏早年仿制陈鸣远的两件精品龙把凤嘴壶和竹笋水盂,造型端庄,制作严谨,细部刻画尤其精到,从中可见顾氏当初仿古精品之功力。抗日战争期间,宜兴窑场一片萧条。顾氏为维持生计,惨淡经营,一边制作紫砂壶,一边仍锲而不舍地攻读陶瓷工艺、硅酸盐工程等有关书籍,从选矿、泥料制配、烧成到成品加工,掌握了一整套的工艺知识,为步入造壶艺术殿堂奠定了坚实的基础。

丰衣足食紫砂壶
现代

20世纪40年代,他结识了上海许多书画高手,并与名画家江寒汀、吴湖帆、王仁辅、唐云、来楚生等交往甚笃,互相切磋艺术,探讨壶艺,视野大为开阔,使紫砂壶与诗书画达到完美的结合。同时,在制作实践中,艺术格调和创作思路也都有所突破,一改清初以来纤细繁琐、堆砌浮华之气,刻意追求线条的流畅舒展,权衡比例的协调秀美和整体造型的简朴大方。渐渐地,他声誉鹊起,"寸壶竟有斗米之贵"。过了40岁,顾氏即

紫砂诗文壶
现代

孕育紫砂壶
现代

舜冪双流紫砂壶
现代

紫砂佛手壶

现代

估　价：RMB 50 000~80 000

术研究工作提供感性方面的第一手资料，从而促进了紫砂工艺的不断向前发展。

1954年宜兴紫砂工艺厂建厂初期，顾老即担负起紫砂工艺班的育才重任。他常说："教师者，传业授道者也。"一改过去师徒授艺的陈旧方式。他以自己特有的文学艺术素养，总结自己的制作实践经验，进行技艺传授，从感性认识作示范，往往逼得学生要苦学几个月才能掌握。他且重视从理性上分析原理，说明为什么要这样做。为使学生尽快掌握造型分析，他讲授紫砂的发展史、工艺流程，讲点、线、面的组合运用。以古代作品作具体分析，指出其精华和不足。他常把紫砂壶拟人化，说壶是有灵性的，是作者品格的体现。他教徒要求甚严，作业必须按时完成，每次制作产品，都要求学生做笔记，并养成习惯。"工欲善其事，必先利其器。"60年代紫砂工艺的提高，与他对紫砂专用工具的改进分不开。经他教过的学生，都十分讲究工具的制作与使用，从而使紫砂壶制作工艺，精益求精，精妙绝伦。红学家冯其庸先生赞美顾老的工艺为"百代壶公第一流"。

名师出高徒。当代的一批批紫砂艺人，许多出自顾氏门下。顾老几十年来带了20多个徒弟，其中水平较高的有10多

紫砂集思壶

现代

估　价：RMB 30 000~60 000

兰石逸香紫砂壶

现代

潜心于紫砂壶造型研究，终于形成独特的成型技法，由此进入了造壶艺术的成熟期。

从50年代起，顾景舟为了发掘紫砂瑰宝，弘扬紫砂这颗东方艺术明珠，他遍访北京、南京、上海、广州、杭州和苏州等地的博物馆，他一次次地跨入艺术院校的大门，虚心请专家教授指教。他还带领科技人员多次到其他陶瓷产区考察。艺术的吸引力和强烈的事业心，使他和全国许多文学艺术家、科学家结为至交，如著名画家傅抱石、陈之佛、亚明，教授高庄、冯先铭、孙文林、刘汝醴，陶瓷科学家刘秉诚、李国桢等。交往使他在陶瓷工艺学、美学、书法、绘画、金石篆刻等方面增添了广博的学识。他以陶为媒，以艺会友，互相借鉴，怡宽视野，这是顾景舟用以提高艺术素养的又一渠道，同时也为造壶艺

人。现已成为高级工艺师的徐汉棠、徐秀棠、李昌鸿、沈巨华和高海庚、周桂珍以及吴群祥、葛陶中等就是他的高徒，都曾受业于顾氏，可见其影响之深。经过他的学生教出的学生，现今有的也已成为工艺美术师。顾老严于教人，但又从来不抱门户之见，摒弃"同行必妒"的旧观念，对其他老艺人的徒弟，一样施教，有求必应。如吕尧臣、汪寅仙、何道洪、潘持平等当代制壶名手，都受过顾老的指点和熏陶。

顾景舟从事造壶艺术已有50多个春秋，其基本功全面，风格广泛，造型严谨周正，气度浑厚而挺秀，特别是处理线条和比例方面，尤有独到之处，他把紫砂壶造型艺术的特点加以充分表现。顾老制壶，方圆俱优，"花、素"都佳。其款式造型完美准确，细部处理精湛的高超手法，堪称超尘脱俗，巧夺天工。1987年由他制作的一套"提璧茶具"被国务院选定为中南海紫光阁的陈设。提璧茶具是顾老完成于70年代的作品，造型气势健伟，色泽古雅沉穆，制作严正挺括，给人一种浑成恬静的美感。提璧壶造型以微曲线组成，盖面如一枚古朴的玉璧，壶嘴与提梁舒出自然，比例适度，既考虑形式上的贯气，又注意实用时的顺势。在细部处理上更是独具匠心，为了衬托壶体的气魄，云肩线特别薄，特别窄。盖钮微妙的线面变

玲珑三足壶
现代
估 价：RMB 30 000～50 000

仿古壶
现代
估 价：RMB 40 000～60 000

梅桩紫砂壶
现代

化，由提梁所形成的虚空间与壶体所产生的虚实变化，加强整体的艺术效果。1978年提璧茶具展出时，许多行家都叹为观止。一位考古学家看到后敬佩异常，当即刻了一枚印章赠给顾老，章上题诗曰："千载一时久绝迹，二陈妙造也难求。如今阳羡名壶手，海内争传顾景舟。"认为顾老的壶艺已经超过了清代制造名家陈鸣远和陈曼生。1979年，邓颖超同志访问日本时，曾将一套顾氏的提璧茶具作为国礼赠送给日本首相。

顾氏制壶，青年时入手以方器为主，兼做圆器。尔后偏重于做素式茶壶（光货）。数十年多年来，他创作了数十种壶型，他擅制素面光身，不事堆雕。实际上，制壶技艺中素面最难，因为它全身线条毕

紫砂茶壶
近代

香浮雀舌紫砂壶
现代
估　价：RMB 45 000～65 000

紫砂五爪龙壶
现代

露，既无假借，亦无躲藏，完全靠造型美、线条美、色调美来抓住观众。正如冯其庸先生所说："一件素面壶，一入鉴赏家的眼睛，就纤毫毕露，好坏立见。其精者，就如看二王的书法，耐入寻味；其俗者，往往搔首弄姿，反而不成姿态。"当然，这里绝没有轻视"花货"和"筋纹器"的意思，"这两种紫砂壶造型及其制作手法，也自有它的独到之处，所谓各有所长，不能相轻。"

顾老的名作有雪华壶、汉云壶、上新桥壶、时乐壶、如意仿古壶和提璧茶具等。其中雪华壶是顾老70年代的作品，壶体为六方形，像雪花的晶体，取"瑞雪兆丰年"之意。造型以直线为主，在形体转折部分采用少量曲线，曲直对比，变化丰富。壶体采用上密下疏，以疏托密的手法，敦实的壶体由平正的面组成，盖面及口颈部分主要是挺拔而棱角分明的线，面有宽窄，线有粗细。制作挺括规正，口盖准缝严密，把手端执舒适，壶嘴出水流畅，配以深沉的紫褐色，如铁铸成，给人以苍古敦朴的美感。

顾老不仅制壶技艺精湛，作品形神兼备，且又精于鉴别古器，他对紫砂历史的研究和传器鉴赏均有高深造诣。其作品屡被选为国家礼品，并曾多次获国家质量评比金质奖、银质奖等项；作品还为香港茶具文物馆所藏。为了研究和发展宜兴紫砂壶艺，顾老曾多次应邀前往香港作专题讲座。1981年在第二届亚洲艺术节上，他曾为罗桂祥博士收藏的200余件紫砂器作鉴定。精辟的分析，充实的论据，给许多国家的学者和鉴赏家留下深远的影响。严谨的艺术作风，孜孜不倦的治学态度，不断进取的创新精神，博采众长的宽广胸怀，是顾老50多年壶艺生涯的写照。他已70年岁作自题小像曰："五十余载竟抟埴，却忆年事已古稀。鲁阳夺戈犹未晚，愿留指爪踏雪泥。"这是顾老发自内心的情怀。

顾景舟老先生曾与中央工艺美术学院张守智教授和画家韩美林合作制壶，在壶的造型上，跃出旧的框框，追求新的意境，并亲自在壶上镌刻铭文，让才华留于壶艺，融诗、书、画与紫砂壶的造型于一体。时乐壶别致得体的造型，清晰流畅的线条，紧密通转的壶身，着实给人以珠圆玉润之感。壶底镌有画家亚明的题款："壶先秦有之。紫砂始于明正德，至今近五百年，高手不过十余人。顾兄景舟当为近代大师。顾壶可见华夏之哲学精神、文学气息、绘画神韵。"这是对顾老壶艺造诣精辟的总结。

蒋蓉，别号林凤，1919年出生于宜兴川埠乡潜洛村的一个紫砂工艺世家。她是一位杰出的女艺人，也是现代著名的陶艺家。她是我国紫砂工艺界两位声誉最大的老一辈巨匠之一，其造壶艺术成就可与清代杨凤年相媲美。她的作品形象色泽及表面纹理都达到出神入化的境地。她在1955年被评为"紫砂艺人"，1978年被授予"工艺美术师"，1989年被授予"高级工艺美术师"，1995年国家授予"中国工艺美术大师"，作品驰名中外。

蒋蓉的童年时代，每逢年初五，她都要睁大眼睛观看祖父带领父亲兄弟三人祭祀陶祖宗——范蠡。蒋蓉11岁时，父亲蒋宏皋因抚养九个子女的家庭负担过重，不得不让她辍学在家，随父学习制坯，做紫砂壶。10年以后，有一次她父亲去上海看望制作仿古紫砂的伯父蒋燕庭，带去了蒋蓉设计制作的两件作品：一只犀牛，一个螃蟹戏金鱼砚台。伯父的老板看了又看，惊喜这个小姑娘有天分，要她到上海店里去。于是，21岁的蒋蓉夹着蓝花包袱，走进了大上海，与伯父一起专事仿古。伯父蒋燕庭制作的紫砂器，都刻有或盖有明万历年间时大彬、陈子畦、

松鼠松桩紫砂壶

近代

规　格：高9.2厘米　宽11.6厘米

此壶是极少钤"燕庭"自己名款之作，用上好天青泥制作，以树段为壶身，苍老斑斑，平嵌盖塑一曲松枝，勃发生机，嘴向前伸展，把由下向上攀出，接壶身分叉两枝松叶，缀几颗松果，疏密有致，松鼠跳跃玩耍，栩栩如生。

紫砂董永季壶

现代

文明壶

现代

秀棠壶

现代

规　格：壶高11厘米　口径6.4厘米

估　价：RMB 50 000~70 000

金钱豹系列紫砂壶

现代

紫砂玉璧茶具
现代

陈鸣远、鹤邨的落款和印章，被老板冒充古董出售。蒋蓉跟随精通紫砂工艺的伯父在上海度过五个春秋，她的作品，被盖上了"明万历年间鹤村"的印章。有一次，以作品"像真"见长的伯父制作了一只新鲜莲蓬，碧绿的莲蓬里镶嵌着米黄色老莲子，那莲子一粒粒在莲蓬里滴溜溜活动。蓦地，蒋蓉颖悟了：紫砂制作的真谛在于创造，模仿只能出工匠，不能出大师。

时过不久，蒋蓉又重返故乡潜洛村，继续从事紫砂工艺陶生产。1955年，她进入宜兴紫砂工艺厂后担任"紫砂工艺班"辅导员，技艺精进。

蒋蓉文思敏捷，才华出众。她善于将动物、植物、花景等自然形体，经过艺术提炼、创造，自如运用于紫砂作品之中，设色与造型逼真，融合了艺术美感与自然生趣。她主要作品有：荷花壶、牡丹壶、百果壶、荷叶壶、蛤蟆莲蓬壶、南瓜壶、西瓜壶、金瓜壶、荸荠壶、芒果壶、百寿壶、莲藕酒具、枇杷笔架、肖形果品、文房玩器等。她壶艺精细，追求色彩效果，作品惟妙惟肖，形神兼备，生意盎然，自成一格。

紫砂四方壶
现代
规　格：壶高8.4厘米　口径7.8厘米
估　价：RMB 50 000～70 000

紫砂螭龙云雷纹壶
现代

紫砂天龙壶

现代

锦绣壶

现代

规 格：高15厘米　宽13厘米

此壶壶形取藏传佛教用器多穆壶式，变化成组合茶具，杯可作底，层层套叠。壶体为直筒身，三弯流，扁鼓把，僧帽口沿，嵌盖结构，散点装饰汉代图案，造型与装饰融为一体，互相辉映。底钤"鲍仲梅制"印款，盖内有"仲梅"、"秀春"小章。

在1955年全国陶瓷工业会议上被评为特种紫砂工艺品的荷花壶，是蒋蓉在新中国成立后的第一件名作。据说荷花壶的创作成功，还有一段有趣的的故事。1955年夏季的一天傍晚，蒋蓉在蜀山近郊田野间散步，看到满池盛开着的荷花，她就想：要是仿照荷花、莲蓬制作茶壶，多好看啊！后来，经过多次思考，就设计出用荷花做壶身、莲蓬做盖、莲蓬上歇一只青蛙的荷花壶。为了做得逼真，她把荷花，莲蓬采回，插在瓶里，捉只小青蛙罩在玻璃杯里，天天细心观察荷花、青蛙的颜色、姿态，再根据紫砂五色土的性质调配泥色。后来又想出用红菱、白藕做壶脚。就这样专心一意，从画图设计，打样制坯，到创作出第一具荷花壶的20多天中，她全神贯注，连吃饭、睡觉时也放心不下，可见其用功之深。

业精于勤，行成于思。她的一组肖形果品和牡丹壶、荷花烟缸等紫砂新品相继问世，也都是50年代创作的。紫砂陈设雕塑——肖形果品，是伯父蒋燕庭传授给她的传统技艺，但当初只有乌菱、荸荠和花生三种。蒋蓉想：倘若能再加上几个品种，衬上一只紫砂果盘，岂不是更加具有观赏价值？因而她就对着

实物临摹、琢磨、试塑，经过一次又一次的探索终于制成了核桃、茨菇、板栗、西瓜子、白果、葵花籽，与乌菱、荸荠、花生合计共九件果品。而且花生和西瓜子都咧着嘴，露出能活动的胖鼓鼓的仁，放在一只具有荷叶一样色式的紫砂果盘上，几可乱真！这组九件肖形果品的紫砂工艺新作，做工精细，配色微妙，形象逼真，巧夺天工。1957年曾被选作周恩来总理的出国礼品，《中国美术画册》也对此肖形果品作过专题介绍。

蒋蓉以制作仿真文房雅玩及塑器造型的紫砂壶为特长，其作品以陈设观赏性为主，兼有一定的实用价值。如她创作的"枇杷笔架"，也是一件新颖的紫砂工艺品。其造型特色在深绿的枇杷叶上，缀满了一条条老绿的筋络，叶柄上，巧妙地连接着一根短拙的果柄，两只娇黄的枇杷表皮显出毛绒绒的质感，上面可搁三支笔。整个工艺造型，浑然天成，不露丝毫雕琢的痕迹。这件枇杷笔架后来被选作中南海紫光阁陈列品。

另一件紫砂新品"莲藕酒具"的造型，构思亦新奇。她以一段白藕作壶身，由一片莲蓬及莲梗组成壶嘴、壶把，比例恰当，以初放的荷花作为酒杯造型。色调上以米黄色为主，有着明快清新的效果，在陈列馆受到中外观众好评。还有一具名为"蛤蟆树桩"的紫砂壶，是蒋蓉20世纪80年代的作品。壶身是

紫砂夏凤壶

现代

春江明月紫砂壶

现代

一段枯树，树桩上趴着一只癞蛤蟆，它怒睁着鼓凸的黑眼珠，虎视眈眈地追逐仓皇的土狗子。丑陋的花斑癞蛤蟆，看上去那样勇敢，那样稚拙，那样疾恶如仇。这具蛤蟆树桩壶被送往香港参加紫砂名壶展览，收入《壶锦》一书。

　　蒋蓉的作品都以造化为师，经过艺术的再创造，形象逼真。"西瓜壶"的造型特色是翠绿的西瓜上爬满道道墨绿条纹，一根瓜茎天然弯成壶把，瓜上还贴着两条带卷须的嫩黄的西瓜花。为了一只花皮西瓜壶的创作，她走访了紫砂工艺厂附近的瓜田。那时的蒋蓉已是62岁的老艺人了。有一具名为"百寿壶"的作品，是她为参加香港展览会而赶制的作品。从设计到打样，前后连续做了14天才创作完成。此壶以百年寿松为题，古朴苍健。壶身是一段古松树桩，桩上塑着古老的松枝节巴和翠绿的松叶，一根枯枝巧妙地做成了壶嘴，另一根枯枝则构成了壶把。壶盖

荷塘清趣紫砂壶

现代

神韵紫砂壶

现代

上的青蛙栩栩如生，惟妙惟肖，美妙绝伦。此壶取松柏常青之意，故名"百寿壶"，在香港展览时受到一致好评，收入《壶锦》一书。

　　从1955年进入宜兴紫砂工艺厂以来，蒋蓉先后创作了100多件高档紫砂壶和工艺品，制作的传统工艺产品不知其数，绝大部分经中国香港销往台湾以及日本、东南亚、北美等地。她的紫砂作品为中南海紫光阁、伦敦维多利亚和艾伯特博物馆以及中国香港茶具文物馆所藏。

　　青出于蓝而胜于蓝。经过蒋蓉的精心培育，她所带的女弟子也都很出色，如汪寅仙、谢曼伦、高丽君、鲍月兔、高建芳、徐兰君和蒋艺华等，所制紫砂作品在国内外参展、参赛，享有声誉。汪寅仙是她的得意传人，其人品、艺品皆优，现为中国工艺美术大师、全国劳动模范。在名师指教下，创作以写生手法刻画"花货"类紫砂壶的生态美，作品常被选作国家礼品、出国展览，并为北京故宫博物院收藏。

　　早在14岁就拜紫砂艺人汪生义为师学艺的朱可心(1904～1986)，出生于宜兴蜀山镇。父亲朱伯荣以编织草席为生，家道清寒。朱可心原名凯长，自取"可心"为名，寓意在"虚心者，可师也"，"山中一杯水，可清天地心"。他平生钟爱这种化土石为珠玉的行业，艺术造诣较深，成型技艺全面，擅长塑器造型，是现代著名的壶艺家之一，被誉为紫砂工艺的一代宗师。

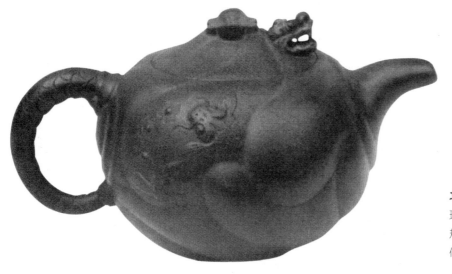

鱼化龙

现代

规　格：高10.3厘米　口径7.8厘米

估　价：RMB 40 000～60 000

紫砂百果壶

现代

紫砂茶壶

近代

1918年，朱可心开始从师学艺时，师兄弟还有汪宝根、吴云根，三人中数他年纪最小，但他虚心好学，品学兼优。他常常在做完一天繁重的家务活及其他辅助劳动后，深夜在小油灯下摸索技艺。因此到他19岁艺成满师独立工作时，已锋芒初露，成为熟悉紫砂壶盆瓶鼎生产工艺技术的一把能手，几年后其名声就超过了师傅。1931年经师兄吴云根的推荐，受聘于江苏省立宜兴陶瓷职业学校窑业科任技工。由于他善于从前人的作品中汲取创作养分，博采众长，作品构成脱俗，设色巧妙，刻意求新。他当年精心创作的紫砂作品"云龙鼎"，1932年曾参加百年一度的美国芝加哥博览会，荣获"特级优奖"，宜兴紫砂陶为祖国赢得了金质奖章。朱可心因此而被提升为紫砂技师。

40年代，因战乱连年不断，紫砂陶业萧条，朱可心生活潦倒，他虽有一手好技艺，收入常常难以度日。不少同行先后改

海纳百川紫砂壶
现代

福寿凤慧紫砂壶
现代
规　格：高10.5厘米　宽13.8厘米
此壶原名俗称"双串壶"，器身为直筒形，三弯流，折方把，圈底，平嵌盖，桥钮中置双串环。底钤"顾景舟"方印，盖内有"景舟"长方章。此壶作于1992年，当刘海粟九十七岁华诞，题写"凤慧"两字，署款"壬申中秋"。

业，而朱可心却舍不得丢下自己喜爱的艺术，宁可受冻挨饿，仍兢兢业业制坯，且时有新作。其中，"一节竹段壶"、"松鼠葡萄壶"即为此时所创作。"一节竹段壶"造型简练，壶身取一竹段，装饰枝分疏密，叶有风韵，既挺拔又潇洒，细部处理尤为逼真，竹根的笋志、嫩中透青的竹芽也栩栩如生。"松鼠葡萄壶"的壶身为圆球状，以葡萄干枝巧妙地塑成壶嘴、壶把，壶面装饰着形似松鼠、葡萄的艺术变形，活跃在枝干上的小松鼠情趣盎然，殊形诡制，精美绝伦。

50年代初期，朱可心将分散各地的紫砂艺人组织起来，成立蜀山陶业生产合作社，他任副主任。1954年夏天，年已50岁的朱可心参加了中央美术学院华东分院民间工艺研究班进修。来自华东五省一市的陶瓷、泥塑、木雕、石刻等民间工艺美术行业的著名艺人，在一起聆听国画大师黄宾虹、潘天寿等讲授美术理论，并数度和专家、教授一起研讨紫砂壶艺。几十年的实践被提升到理论高度去认识了。1955年，他以陶业社代表的身份，参加了在北京故宫博物院举办的"世界陶瓷展览"，作品"仿古竹段盒"、"松竹梅三友壶"和"一节竹段壶"参加了出国展出。1958年10月成立宜兴紫砂工艺厂时，他与另外几位老艺人一起担负起

滴水石紫砂壶
现代
规 格：高10.5厘米 宽13.6厘米
此壶用紫泥制作，抚摸摩挲光润，凹凸纹理相间。短嘴，圈把，手握合宜，以全手工打身筒法制作。平嵌盖与口相吻，浑成一体。壶嘴侧方塑微型修身养性之卧佛状。底钤"顾惠君制"篆书印款，盖内有"顾"、"惠君"两小圆章。

化龙"的成就，作品充满了新意，既实用又美观，被誉为艺术珍品。当年收藏家储南强曾书赠朱可心一副楹联："书传《阳羡名陶录》，人在《豳风稼穑图》"，赞美其高尚陶艺和人品。60年代，朱可心仿制国家一级文物项圣思的大桃杯，做到惟妙惟肖，几可乱真！这件作品为南京博物院收藏。其实，复制传统的紫砂珍品并非易事，作者需要有很深的功力。项氏大桃杯有14张不同姿态的桃叶和七只大小互异的桃子，有老枝和新枝，花朵、叶芽生机勃勃，在三至四寸见方的立面中，仿品真实地表现了原器的形态和神韵。

70年代的朱可心已经年逾古稀，体弱欠健，仍孜孜不倦于壶艺创作。他在小型竹节壶的基础上，用捏塑装饰，以梅花表现的"报春壶"、以花蝶表现的"彩蝶壶"和用青松表现的"常青壶"，都是极富新意的佳作。朱老为了创作报春壶，他先后研究了古代陶器的形象，多次到苏州、无锡等园林风景区，临摹梅花的千姿百态，然后构思出以苍劲挺拔的梅枝干为壶嘴、壶把，以嫩枝延伸到壶身，绽开朵朵梅花，花分正、背、偏、侧，或含苞，或怒放，并运用浮雕和点浆技艺，把迎雪傲霜的梅花与整个壶身浑成一体，向人们报告百花盛开的春天即将到来。报春壶不久上了报纸，参加了出国展览，蜚声海内

育才重任，致力于培养中国新一代有文化的紫砂工艺接班人。朱可心的工艺风格，浑厚淳朴，静穆大方，善于从自然及生活中汲取创作素材。他50年代初期创作的"圆松竹梅壶"，一改传统的树桩形式，用一节竹筒作壶身，上面舒出竹枝构成壶嘴、壶把，壶身上点缀几片潇洒的竹叶。盖面以松梅组成浮雕花纹及的子，整个效果淳朴大方。著名的紫砂作品"云龙壶"也是同时期的杰作。设计此壶时，他一连数日天天去蜀山北麓的大新桥上观看天空云彩。七月的巧云变幻无穷，每当他发现奇妙的云彩即默记在心，回到家中用泥塑出浮雕；有时在家点燃一支香，观察烟雾升腾，以勾画云纹，并注意汲取绘画及石刻中的云龙形态，使作品气韵贯通，形象生动。他创作的这件颇有新意而又复杂的云龙壶，呈紫红色，满壶浮雕着一片起伏着的云彩，两条巨龙在云层里翻腾，神态矫健，恰似东方巨龙苏醒，正在搏击九天！其中有条龙钻出了壶盖，这条龙的头能伸能缩，犹如隐现穿行在云海之中；从云端下垂的龙尾构成了壶把，真是活龙活现，完全突破了前人"鱼

紫砂大壶
现代

外。彩蝶壶立意新颖，取花香蝶至之意，壶身造型浑厚简朴，未加任何装饰，着重刻划壶嘴、壶把及盖钮的造型。用两片瓜叶作成壶嘴，叶分正反，叶脉隐现，将瓜藤作壶把，老干嫩枝分明，以花蕾结于盖项，翠蝶扑于花蕾之上为盖钮。以简托繁，有壶静蝶舞、藤卷叶动之势，其配色做工也很精细，是件兼有欣赏和实用价值的艺术珍品。

1973年，为适应国外市场需要，朱老又设计了一套塑器产品，首创同一造型、多种装饰的系列的茶具。在心状的壶体上，分别以梅、柏、松、桃、竹为题材，不是简单的照搬自然形象，而是经过精心设计，提炼取舍，用其娴熟的雕、镂、捏塑技能，做成视觉美，触感舒适，而又利于实用的紫砂壶。梅花疏影横斜，柏枝苍翠，竹叶潇洒，古松苍劲，枝叶秀润的形象特征，都得到恰如其分的刻画，给人以少胜多、视觉美的艺术享受。朱老所制圆器不多，但也有独到之处，如一度畅销海外的"线圆壶"，造型简练大方，骨肉停匀，嘴把趁势，有珠圆玉润的美感。1985年10月，上海电视台拍电视片时，朱老制作仿古壶一件，后又做了一件汉方壶，这是他在世时制作的最后两件作品，虽然视力及手力已衰，但还可看出其不凡的身手功力。

在60多年的陶艺生涯中，朱可心的作品"综古今而合度，极变化以从心"，技艺达到了极高的水平。名师出高徒，他的艺徒有潘春芳、许成权、汪寅仙、吕尧臣、李碧芳、曹婉芬、高丽君、李芹仙、范洪泉、倪顺生等多人，有的已是高级工艺师，其作品都在工艺美术界和中外陶艺展览中

如鱼得水紫砂壶

现代

规　格：高12.8厘米　宽15.4厘米

此壶用紫泥制作，色泽纯朴细腻，将图案花纹衬托得意趣横生。壶体经刻、琢、矵、印等多种装饰手法加以表现。壶身为圆扁鼓形侧立，下部底与上部口对称结构，平压盖，功能合理。

朱可心制狮钮歪把紫砂壶

现代

规　格：长15.6厘米

估　价：RMB 15 000～18 000

"凯长"篆书款。

顾勤娟款紫砂竹编纹壶

民国

规　格：宽17.5厘米

成交价：RMB 1 760

崭露头角。

　　由于朱可心的杰出成就和对紫砂事业贡献，1957年他与著名艺人任淦庭和顾景舟先生一起参加了全国民间艺人代表大会。1978年被授予"工艺美术师"称号。1986年3月26日，这位紫砂工艺的一代宗师与世长辞，享年82岁。

　　与朱可心同时代的紫砂名艺人裴石民（1892～1979年）原名德民，又名庆云，出生于宜兴蜀山镇，父业豆腐店营生。他读过几年私塾，15岁辍学后跟姐夫江祖臣学艺，潜心于紫砂陶。据他说改德民为石民的用意，"是为了与紫砂陶更相符合一些的缘故"。艺成后，他22岁到利永陶器公司制作紫砂器，掌握一手精湛技艺，不久他就在紫砂行业中崭露头角，以制品小巧精雅而闻名遐迩。

　　20年代，裴石民技艺成熟，仿创兼优。他曾为宜兴近代名士储南强所藏紫砂大师供春的树瘿壶配壶盖，此壶现藏中国历史博物馆。尔后，还分别为明代项圣思的大桃杯配制托盘，时人誉称"二美"，传为艺苑陶史佳话，此杯现为南京博物院珍藏；又为清代陈曼生的紫砂栗子（生栗）配

一熟栗，均与原件相得益彰，相映成趣，颇为识者津津乐道，并记入《简叟陶话》一书。

　　30年代，上海盛行收藏紫砂壶的风气，一些专揽紫砂器的茶叶店主和古董商以及紫砂爱好者纷纷将宜兴紫砂名手聘至上海，以明清名家时大彬、陈鸣远的作品为蓝本进行仿制。抗战前夕，由上海利永陶器公司张槐坤、江祖臣推荐，裴石民到上海，被一个号称大魔术师的莫奇悟聘请到家中，制作各式仿古陶器和紫砂盆景，他俩志同道合，十分喜爱古陶、盆景，两年中制了许多古朴雅致的紫砂珍品，器物上仅盖"悟奇治陶"印记，称为"悟奇陶"，造型古意盎然，博得行家赞美。裴石民在

龙头玉环紫砂壶

近代

规　格：高6.3厘米，宽10.9厘米

仿古紫砂壶

民国

规　格：壶高10.4厘米　口径9.5厘米

估　价：RMB 20 000～25 000

"十里洋场"的上海长达10年之久，扩大视野，增长见识，先后在几个古董商店专门研究和仿制紫砂古器，颇负盛名。其间，他摹仿陈鸣远的珍品，精工细作，几可乱真，所以后来就有"陈鸣远第二"的誉称。

40年代，他回到故乡宜兴，在大浦乡洋堰圩和蜀山等地继续制作紫砂陶坯，自做自销，以谋生计。

50年代初期，裴石民和其他紫砂艺人一起参加蜀山陶业生产合作社，恢复和发展紫砂生产。1958年他进入宜兴紫砂工艺厂后，在研究传统工艺和开发新品的同时，还培养了新的紫砂艺徒。裴氏擅长制作紫砂文房雅玩，诸如水丞(水盂)、杯盘和炉鼎等器，造型典雅别致，常带有古铜器敦厚稳重之特点。其壶艺光货、花货造型均作，尤以像真果品为最佳。其代表作品有上松段茶具、五蝠蟠桃壶、双圈石鼎壶、三脚炉壶、牛盖莲子壶、螃蟹荷盘、春蚕桑叶、像真果品以及微型花盆等。他创作的"上松段茶具"于1953年9月参加了华东地区工艺美术品观摩大会，获优秀奖。松段壶呈深褐色，取苍松一截为壶身，深入地刻画松的形象特征，斑驳的树皮，斧砍的凿痕，枝桠依然构成壶嘴、把、盖，壶身与盖旁饰以绿色的松针浮雕，在苍劲中露出盎然生机。四只茶杯和茶盘亦用松枝造型，整套作品浑然一体，可谓珠联璧

紫砂挂釉壶
现代

明月松间紫砂壶
现代

红菱花紫砂壶
现代
估　价：RMB 50 000～70 000

合。翌年6月，该作品被选入《华东民间艺术》画册出版。裴石民的作品，刻意求精，每种式样只做几件就要翻新。如紫砂水盂，先后做了金蟾水盂、田螺水盂、葫芦水盂、百果水盂、金龟水盂等，造型多样，形态各异。他晚年的作品更少，如石瓢壶、牛盖莲子壶，底款印有"裴石民年七十六制"篆文钤记，就更加珍贵了。裴石民不愧为一代陶艺大师，他造型艺术最大特点是能收能放，繁简匀称，作品古朴凝重，风格多样，且常有惊人之作问世。如50年代的名作"蟹"，他刻画了一只青泥大螃蟹挥着两只钳子，凶猛地夹住一个田螺，双眼凸出，形神兼备，钳后的黑毛仿佛还湿漉漉地黏在一起。足见构思巧妙，工艺精湛，可谓传世的紫砂珍品。经他培养的艺徒也都很出色，如当今著名工艺师汪寅仙、束凤英、何道洪、何挺初等，

莲花紫砂茶具（一套）

现代

规　格：壶高10.7厘米　　盖口径6.7厘米

蕾花紫砂壶

现代

三友紫砂壶

现代

紫砂秤砣方壶

民国

规　格：壶高16.5厘米　　口径5.7厘米

估　价：RMB 25 000~30 000

孔柏紫砂壶

现代

双色高瓜壶
现代
规　格：高9.5厘米　宽12.5厘米

在壶艺创作上均有优秀的作品和杰出的成就。

现代擅长筋纹器的著名制壶艺人吴云根（1892~1969年），原名芝莱，出生于宜兴蜀山镇。14岁即向制壶技工汪春荣学习制壶技艺，曾与汪宝根、朱可心为师兄弟。满师后自谋生计，开始因制泥壤难以度日，就经常帮人家挑运泥壤和搬运陶坯和陶器产品而艰难维生。

1915年，由宜兴利永陶器公司介绍吴云根和杨阿时、李宝珍三人一起到山西省平定县平民陶器工厂任技师。吴云根不仅熟悉制陶成型技术，而且还能利用红炉(瓷器彩烤时用木炭作燃料的炉具)烧制陶器产品。在山西工作三年后又回到故乡蜀山，他身强力壮，仍以制坯、挑坯的体力劳动为营生。

1929年，他受聘于南京中央大学陶瓷科当技师。两年后又返回蜀山。1933年，吴云根到江苏省公立宜兴职业学校窑业科担任技师，直到1937年抗日战争爆发学校停办为止。在40年代中，他与其他紫砂艺人一样，度过了艰难困苦的岁月。

1954年，他与几位艺人一起筹办蜀山陶业生产合作社。吴云根为人谦和，热爱陶业，又精于壶艺，因此在1956年被提升为宜兴紫砂工艺厂成型技术辅导员。他所带的徒弟，现在已成为当代工艺大师的有汪寅仙、吕尧臣、著名工艺师有吴震、许慈媛、何挺初、葛明仙等。吴云根的造壶艺术风格朴实稳重，作品以竹子为题材的较多，他能把握竹子的形象特征，表现竹子潇洒飘逸的风姿，在其弟子所制的作品中也都有此遗风。

吴云根的紫砂成型技术高超，经验丰富，他创作的提梁瓠

菱壶、大型竹提壶、传炉壶、线云壶、合菱壶曾多次被选定参加国内外的陶艺展览。他设计的竹节花盆、长方水底盆及新石桃壶、菱角茶具、柿子壶、鱼罩壶、春宁壶等圆器造型，在传统的手法上都颇具创意，受到人们的喜爱。其中最有个性特色的作品数大型竹提壶，取丰满的竹段为壶身，以竹节制成壶嘴，并缀一小竹攀于壶体，疏密有致，竹叶似在风中飘荡，又用弯曲的竹根构成壶的提梁。这件朴素大方的竹提壶用团山泥制作，显得色泽非同一般，更见珍贵。整个造型布局得体，在成型处理手法上，竹节的纹理结构和节奏美感，疏朗的竹叶、竹枝和竹芽的生态美，都得到充分表现，人们可从作品中领略翠竹的

龙凤呈祥紫砂壶
现代

神韵。还有柿子壶也很有特色，在普通的柿子造型中作出多种变异。有适宜装饰铭文且又光润的四瓣茎纹柿子壶；有琢档花货、表现植物生态的翻盖柿子壶。所制作品，骨肉均匀，壶的各部分比例协调，光润内蕴，楚楚动人，为行家所珍视。

另一位善制筋纹器的著名紫砂艺人王寅春（1897~1977年），出生于宜兴川埠乡上袁村，也是现代一大名师。他幼年家贫，未能进过学堂，早在13岁就拜紫砂艺人金阿寿为师学艺，开始他的造壶艺术生涯。满师后独立生活，先帮客户赵乾泰做小伙计，后又帮其他窑户制坯做壶。

1921年，24岁的王寅春在上袁村安家，自产自销紫砂壶坯

三羊同乐紫砂壶

现代

规　格：高17.8厘米　宽16.5厘米

此壶用纯深紫泥制作，朴茂沉静。壶身形高柱方，高脚圈，底腹及壶肩为上下对称的凹肩线装饰，高压截盖与方口颈相吻合。长方嘴与大方圈把对应。壶腹两侧装饰浮雕羊头图案，壶盖上圆雕整羊作钮，以线纹、卷毛纹精心刻划神态。

紫砂云中方壶

现代

规　格：高10厘米　口径4.3厘米

估　价：RMB 40 000~70 000

九龙·争龙紫砂壶

现代

规　格：高8.2厘米　口径4.5厘米

件，以谋生计。有一次，客户向他订制水平壶，指名盖"福记"印章。交货后，客商发现这批水平壶比真"福记"陈寿屢出品还要好，坯体薄，泥色纯，出水流畅。后来发现这批水平壶作者是王寅春，客商将坯价每把八分提高到二角大洋，大量定制包销。王寅春水平壶在铁画轩售出后，很快名扬大上海。当时为他刻印二方："寅春"、"阳羡惜阴室主"用于盖、把和底款。后来，蜀山"切玉圣手"潘稚亮特意为他刻了一方"王寅春"鸡血石篆章。他从事壶艺几十年，造壶数以千计，惟爱此章，一直使用到最后的紫砂壶作品上。平生仅以一印为宝，也实为罕见。

质朴的艺品，正如王寅春忠厚的人品，自然融圆，名传遐迩。1936年，国内外市场动荡，紫砂行业萧条之际，王寅春接受上海古董商的聘请，专事紫砂仿古产品。这使他有机会接触到许多明、清名家名壶，并反复揣摩这些精品的造型，研究制作手法，把握作品的形神关系。他在两年中成功地仿制了时大彬、徐友泉、陈子畦、陈鸣远、陈光明等名家的传器，同时也进一步提高了他的艺术素养。抗战爆发，上海沦陷后，王寅春迫不得已，返回故乡上袁村。当时从上海仅带回简单行李，而珍贵的茎纹样板、回纹印板都像生命一样随身携带，终于保存

紫砂梅段茶壶

现代

估　价：RMB 50 000~80 000

羊城早市茶

　　早市茶，又称早茶，多见于中国大中城市，影响最深的是羊城广州，他们无论在早晨上班前，还是在下班后，或是朋友聚议，总爱去茶楼，泡上一壶茶，要上两件点心，美名"一盅两件"，如此品茶尝点，润喉充饥，风味横生。广州人品茶大都一日早、中、晚三次，但早茶最为讲究，饮早茶的风气也最盛，由于饮早茶是喝茶佐点，因此当地称饮早茶叫吃早茶。

　　在广东城市或乡村小镇，吃茶常在茶楼进行。如在假日，全家老幼登上茶楼，围桌而坐，饮茶品点，畅谈国事、家事、身边事。亲朋之间，上得茶楼，谈心叙谊，沟通心灵，倍觉亲近。所以许多即便交换意见，或者洽谈业务、协调工作，甚至青年男女，谈情说爱，也是喜欢用吃(早)茶的方式去进行，这就是汉族吃早茶的风尚至今能长盛不衰，甚至更加延伸扩展的缘由。

收藏知识

紫砂刻竹纹诗句壶

现代

下来了。现今看到的36条茎纹的圆条壶、茶具和四方回纹瓶，便是王氏珍贵传器之见证。

1940年，上海陶器客商张甫林、唐明香赶到王寅春家，要求赶制一批咖啡具。每套15件，包括咖啡壶、奶杯、糖缸、杯碟各六只。坯体全用紫砂，杯碟内施炉均白釉。造型有六方、八方、阴井等。王寅春精制这批咖啡具销往欧洲市场，博得好评。后又做了洋桶壶、线圆壶和水平壶等各式造型的紫砂壶销往泰国，也深受欢迎。因此，王寅春是开拓紫砂壶对外贸易的先驱，他为宜兴陶艺走向国际市场做出了很大的贡献。

40年代，由于战乱等原因，宜兴窑场萧条，王寅春生活在困境，一度靠种田为主，但仍孜孜不倦于紫砂壶制作。他曾为蜀山毛顺生、吉三大、束六大等客户做一些中低档紫壶，也为鼎山大窑户钦茶德、宜城窑货店老板陈顺法、程敖生、邵巨保、许立生等做过仿古高档茗壶，如牛盖羊桶壶、掇球壶、矮蛋包壶、汉君壶、仿古壶等。

50年代，紫砂工艺得到人民政府的重视与扶持，许多艺人纷纷归队。1954年10月，王寅春参加蜀山陶业生产合作社，后又成为宜兴紫砂工艺厂的技术辅导员，为政府聘评的七大艺人之一。从这时起，他进入了壶艺创作的黄金时代。曾多次承制国家礼品，如"十三头咖啡具"和"五头梅花周盘茶具"等，让世界了解紫砂工艺，为祖国争取荣誉。这时期的一些新品名作还被中南海紫光阁和北京故宫博物院珍藏。王寅春带了不少徒弟，他言传身教，毫不保留地传授技艺。当代有名紫砂工艺人才如何道洪、周桂珍、高洪英、张红华等都出自他的门下，受其薰陶影响的更是不乏其人。

王寅春是忠于造壶艺术的一代大师，德高望重。他做的紫

浪花紫砂提梁壶

现代

规　格：高19.3厘米　宽16.5厘米

此壶用纯紫泥制作，属七十年代作品。流线型，大容量，时代特征较强。壶身高桶形，肩部为半球状，变化主体产生张力。嵌盖与器身浑为一体。流长微曲，与线型体相统一。提梁一改传统的程式，流动波折成浪花，扁平内侧凹线，由粗变细至嘴部分为两叉，节奏感强烈，使用舒适。塑浪花图案作壶钮，形式感甚美。

战国虎紫砂壶

现代

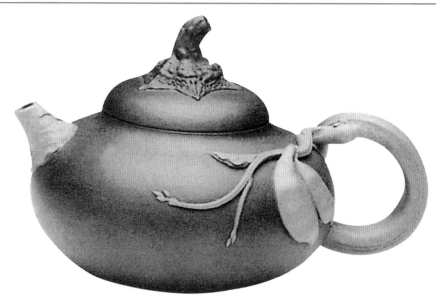

紫砂秋趣壶

现代

估　价：RMB 40 000～60 000

商之韵紫砂壶

现代

鬻字糊口，生活漂泊不定。1943年窑场稍有复苏时，他才受聘于蜀山毛顺兴陶器商店，重操旧业。早期的陶刻作品，常见缶硕书画、瘦石刻或石生刻，瘦石即陶工范福筹，石生是蒋荣熙。

1954年，任淦庭参加了蜀山陶业生产合作社并担任监事。他进入宜兴紫砂工艺厂后，专心从事陶刻艺术和培养艺徒。他潜心于研究紫砂陶刻装饰技艺，兢兢业业，精益求精，终于成为一代紫砂陶刻技艺全面的民间工艺大师。他的作品，有浓厚的传统风格及民间趣味，而且左右两手能同时挥毫作画，特别是装饰一对紫砂花瓶，左右同时施艺，布局一致对称。他的书法功底很深，能书写真、草、隶、篆各体诗词铭文，尤以大篆和古隶见长。装饰画面以山水花鸟为主，梅兰竹菊也是常见的题材。他的山水画继承清代四王(王时敏、王鉴、王翚、王原祁)山水画风格，但不拘泥于前人、作品中常出新意，以陶刻书画记叙时代风貌。

紫砂陶刻不同于一般雕刻，也有别于雕漆和其他陶瓷刻绘。它是以多变的刀法，即以运刀的利钝粗细、轻重缓急来表现，装饰手法大多是兼工带写，主要以白描来表达作者的装饰意图。任淦庭刀法熟

寿桃紫砂壶

现代

砂壶，线条挺括清新，口盖准缝严密，每件作品都有显著的个性，技艺有独到之处。代表作亚明方壶、圆条壶等苍劲刚遒；六方菱角壶、梅花周盘壶等挥洒自如；提梁裙花壶、六方抽角壶等庄重与飘逸兼备。他74岁还在制壶，显示了"生命不息，创作不止"的崇高精神。

现代最著名的紫砂陶刻画装饰工艺家任淦庭(1889年～1968年)，又名干庭，字缶硕，号瘦石、石溪，别号聋人、左民。出生于宜兴破落的书香门第，幼年只读过三年私塾，15岁就跟雕刻画家卢兰芳学艺，满师后在宜兴吴德盛陶器商店以陶刻书画谋生。抗战期间陶业萧条，曾靠卖画

练、诗词、图画随意刻来，自成章法。他一生中设计的装饰画面较多，而且有着民间艺术共同的特点，题材都是寓意吉祥的，如"喜上眉梢"、"富贵长春"、"春燕画简"、"黄山始信峰"等，题材新颖，格调高雅。"春燕画简"是表现暮春的景色，上部刻画了一只展翅飞翔的春燕，下部是落花流水，构图平中见巧，用笔简练，题款刻"仿南田老人笔意"，恰当地表达了"落花流水春归去"的主题。"黄山始信峰"是装饰于圆形紫砂花瓶上的画面，构图上的一株参天古松为主题，将嶙峋的山峰作为中景，整体全是以白描线条来表现，刀法朴拙遒劲，装饰风格典雅。

任老艺品高，人品更高。他爱祖国、爱艺术，孜孜不倦地创作。他的陶刻作品独树一帜，影响颇大。他们书法飘逸洒脱，灵气意蕴，绘画师法造化，精练有神。他年近80高龄时，还天天写字作画，笔耕不止。由于他对紫砂工艺的杰出贡献，被评为工业特等模范，1957年参加了全国民间工艺美术艺人代表大会。同年11月又出席了全国群英会，受到国家的表彰和鼓励。

任老精心带徒传艺，教出了一批紫

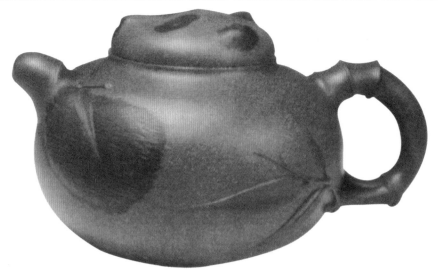

稀世珍宝紫砂壶

现代

估　价：RMB　70 000～120 000

紫砂壶

现代

四月海棠花紫砂壶

现代

砂工艺新秀，如徐秀棠就是任老最得意的门人，还有谭泉海、鲍志强、沈汉生、毛国强、鲍仲美、咸仲英、邵新和、王品荣等，都已成为高级工艺美术师和陶刻能手。其中沈汉生雕刻的"百寿花瓶"，曾荣获1984年莱比锡国际博览会金奖。

当代制壶名家中还有潘春芳、许四海、张守智和韩美林等，他们都是紫砂高手，且学养颇深，在造壶艺术上均有显著的成就。

潘春芳，1939年出生于宜兴鼎蜀镇。1955年进宜兴紫砂工艺厂工作，曾先后受

紫砂三线咖啡壶

现代

规　格：高13.5厘米　宽9.8厘米

此壶制作难度极大，完全靠线面转折周正、舒坦和色调雅合来完美整件作品，壶面不事雕琢，毫无假借、遮掩之处，技艺严正，几乎无可挑剔。

紫砂罗汉果壶

现代

君山银针茶的传说

相传唐太宗李世民登位后，一日上朝，太监为皇帝沏茶，开水方倒入杯中，即见有团白雾腾空而起，形似一只白鹤在空中向太宗点了三下头后翩翩而去。此时杯中的茶叶上下起伏，最后挺立于杯底，如刀枪林立，又似春笋破土，颇为壮观。太宗皇帝觉得新奇，便问太监"这是什么茶？"太监忙上前奏曰："这是用白鹤泉(柳毅井)水泡的黄翎毛(银针茶)。"皇帝饮后，感觉此茶清香甜爽，高兴之余，下旨将银针茶列为贡茶。

君山银针茶产于湖南洞庭湖的君山上，是我国历代名茶之一。君山银针茶风格独特，其芽头肥壮，紧结挺直；芽身金黄，满披银毫，香气清纯，滋味甜爽；冲泡后有"三起三落"之奇观。

紫砂扁壶

现代

彩绘高颈紫砂壶
现代

孙子兵法茶具
现代

紫砂光明提梁壶

现代

紫砂僧帽壶

现代

估　价：RMB 60 000～70 000

业于朱可心、王寅春门下，学艺时即初露才华。1958年受聘紫砂中学担任工艺教员。1959年考入中央工艺美术学院修读于陶瓷系。1964年毕业后回厂从事新产品设计及技术管理工作，期间与夫人许成权合作多款新产品，如色泥梅桩小壶、新竹茶具等。1978年随梅健鹰教授研究中国传统陶瓷。1981年到南京艺术学院设立陶瓷设计专业课程，培养设计人才，时有专业论文及陶艺新作问世。曾任南京艺术学院陶瓷美术研究主任、教授。

　　许四海，字紫云，号拾荒人、门外汉，1946年出生于江苏盐城，现侨居上海。自学紫砂工艺，曾随画家唐云学艺，自称江南一怪。他擅制各式紫砂器，由人物雕塑、工艺摆件以至壶类皆长，如段泥金蟾桩茶具、紫砂束竹三友壶等，构思纤巧，造型奇特。作品"夏意"获国家轻工业部奖，"螃蟹糖缸"获江苏省优奖。他又是紫砂壶收藏家，在上海家中创办"四海茶具馆"。

　　张守智，1932年出生于河北平泉。1951年进入中央美术学院工艺美术系修读陶瓷专业。1956年后，任教于中央工艺美术学院，从60年代开始研究宜兴紫砂造型，并与多位宜兴紫砂艺人合作创制多款紫砂

壶。作品多次参加国内外展览，并入选为北京中南海紫光阁陈设，曾获全国陶瓷美术创作设计评比二等奖和萨格拉布国际小型陶瓷展览评比荣誉奖等多项国际奖项。北京中央工艺美术学院陶瓷美术系教授。

　　韩美林，1936年出生于山东济南。著名美术家，紫砂陶设计专家。1955年进入北京中央工艺美术学院，1960年毕业于该学院染织系。其后从事装饰画创作，并多次参与电影美术及邮票设计工作。他的画作曾在日本、新加坡、美国展出。作品为中国美术馆及新加坡国家博物馆收藏。曾与多位宜兴紫砂艺人合作创制多款紫砂壶式样，造型流美典雅。1989年3月他创建韩美林紫砂工作室，所制紫砂作品风格独特，个性鲜明，可谓

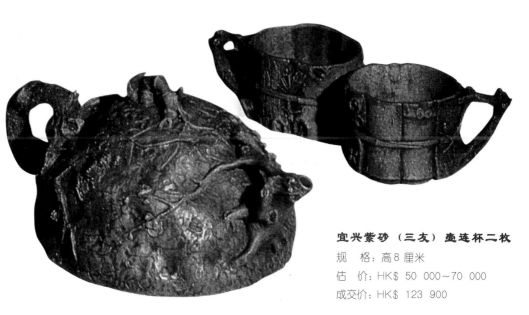

宜兴紫砂（三友）壶连杯二枚

规　格：高8厘米

估　价：HK$ 50 000～70 000

成交价：HK$ 123 900

紫砂铭文壶
现代

当代紫砂一杰。

紫砂壶与当代书画金石家也有不解之缘。如著名书画家唐云、亚明、朱屺瞻、吴作人、谢稚柳、陈大羽、林散之、费新我、魏紫熙、尹瘦石、程十发、韩天衡、黄冑、萧平等曾先后定制紫砂壶，在壶上创作书画作品。名壶中有一把"亚明方壶"就是亚明设计的。1990年在画家朱屺瞻"寿星百岁画百壶"活动中，由上海中国画院与宜兴紫砂工艺三厂联合举办，唐云、程十发、顾景舟为顾问，按照朱屺瞻的丹青墨宝，精制了珍藏级紫砂壶10套共百把，壶样参照上海博物馆、香港茶具文物馆、宜兴陶瓷博物馆的藏品，由工艺师顾道洪、邵盘洪、王三大、吴培林等制作，篆刻家徐秀穆、沈觉初、徐勇良、方锦霞镌刻，集名壶、名画、名刻于一身，丹青与紫砂连理，墨宝同陶艺共辉，在艺史上堪称是个创举。

现当代的紫砂壶造型艺术，在吸收前人成果的基础上，又有了空前的发展。新一代富有开拓精神的陶艺师正在茁壮成长，他们的作品，仿创结合，推陈出新，展现出百品竞艳的浓厚的时代气息，把紫砂壶造型艺术推向一个新的阶段。当今紫砂壶正在努力探求单纯、简练、概括的造型风格，以充分显示紫砂泥料固有色泽和肌理效果。

紫砂壶造型艺术的演变与发展，不仅体现了中国制陶业日新月异的面貌，而且显示着新一代陶艺师和制壶艺人丰富的想象力，以及在艺术上勇于探索追求的新风尚。

紫砂描金山水方壶
现代

泥绘钟式紫砂壶
现代

紫砂呈祥壶

现代

规　格：高9厘米　宽17厘米

此壶胎用紫泥制作，色纯而细。直壶身，上下对称，似汉君式样，稳重大方。流塑一飞翔之祥凤，把塑汲水祥龙，平压盖上塑一小龙，壶身一周排列规整的水圈纹，增添一份古穆之气。底钤"秀棠壶艺"印款，盖内有"凤"字小章。

紫砂刻书画筒壶

现代

紫砂斜形大壶

现代

孤菱壶

现代

鸣蝉南瓜紫砂壶

现代

规　格：高12.5厘米　宽16.5厘米

此壶胎用自配的青灰绿泥制作，色泽幽雅，砂质温润。形体以自然仿真的侧卧南瓜为型，一改其正立姿态，以紫砂陶质感产生果瓜肌理，给人以耳目一新之感。

紫砂寿桃壶
近代
规　格：高6.8厘米　宽13.2厘米
其壶式古朴奇拙。盖内钤"寿珍"印记，底钤"艺古斋"印款，壶身铭刻："饮之益寿更延年，东溪。"为程寿珍制壶。赵松亭，
艺名东溪。"艺古斋"为其斋号，凡订制茗壶绵钤此印于壶底。

紫砂可盈壶
现代

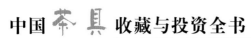

望子成龙紫砂壶

现代

长寿碧桃壶

现代

规　格：高10.5厘米　宽18厘米

壶身以桃枝组成流、把，变化曲折，以小桃为盖钮，攀附小枝，盖贴桃叶；下接底脚，伸展枝叶，并附小果、小花，将祥和之气凝聚一起，四只小桃依附大桃壶身为五桃，寓意"吉祥"、"长寿"。底钤"蒋蓉"印款，盖内有"蒋蓉"小章，把梢下有"蒋"、"蓉"两字微型章。

第六章　紫砂壶的收藏

一、紫砂工艺的时代特征

宜兴紫砂烧制的历史可追溯到宋代甚至更早。江苏发现过两件南宋紫砂壶，上半截施釉，估计是酒器。明代起，饮茶方法的改变，以紫砂作壶渐成风气，推动了紫砂工艺的发展。

紫砂透气但不渗水，因而泡茶既不夺香，又无熟汤气，暑月注茶越宿不馊，深受茶客欢迎。同时，紫砂壶制作精美，古朴典雅，极投文人所好。时至今日，历代名家作品已价逾黄金，成为中国艺术品收藏的一大热点。

自明代中期以来，紫砂壶的原料淘炼、装饰方法、铭文印记、造型风格不断成熟有明显的阶段性，是我们鉴定紫砂年代的主要依据。

（1）紫砂原料。

紫砂是夹于宜兴陶土矿中的一种泥料，称"泥中泥"，含量仅占矿土的千分之一左右，十分珍贵。紫砂泥有紫泥、红泥和绿泥三种，可以单独制作器皿，也可根据需要掺和使用。成品以紫红色为主，也有朱砂、深紫、栗色、梨皮、青灰等。

虎视天际壶

现代

紫砂窑变壶

现代

规　格：高9厘米

估　价：RMB 3 000～5 000

"大清嘉庆年制"篆书款。

紫砂壶

民国

规　格：长15厘米

估　价：RMB 1 000

"金鼎商标"款。

紫砂泥料加工有手工和机械两种，手工制较粗，机械制较细。据对标本测试，宋代中期紫砂泥团粒最大尺寸(下同)为0.5～0.7m/m，清初为0.5m/m，清中期为0.3m/m，1958年前用手工石磨磨制的也是0.3m/m，1959年后用粉碎机加工的仅为 0.15m/m。因而总的趋势是越来越细。

较粗的紫砂泥由于泥的粗细颗粒悬殊，烧成时收缩不一，表面粗颗粒略有凸出，呈梨皮状。壶表经拍压，滋润光泽，内壁未经拍压，疏松而保持了透气性，吸水率可达3%～5%。近四十年新制紫砂壶用较细的泥，过细的紫砂泥制品的表面已无法看到梨皮状效果，吸水率也仅达1%。

明代中期正德至嘉靖的紫砂壶，泥料较粗，如较细的缸土。传闻金沙寺僧即用制缸的粗泥澄炼后作原料。南京嘉靖十二年(1533)墓出土的紫砂提梁壶，胎骨较粗，表面有缸坛釉渍，说明当时还是和上釉的缸坛同窑烧制，因不装匣钵，缸坛的釉高温熔化后随气流升腾凝附到素身砂壶上。因此这一时期的紫砂壶除用粗泥作原料外，器表的"飞釉"是又一重要特征。万历后，紫砂坯件装缸后附陶穴烧成，不再有釉渍出现。

明万历到清初的紫砂名家，注重对泥料的加工、调配。许多艺人用各种色泥制壶，使壶形和壶色更加协调。这时开始用调砂泥料，即在较细的泥中掺入颗粒较粗的生泥或熟料，烧成后壶表砂粒隐约可见，典雅古朴。至今，一些高档砂壶仍用调砂泥。

紫砂倒梨形壶

民国

规　格：长15厘米

估　价：RMB 1 000

紫砂扁壶

现代

现代紫砂壶无论优劣，都用机械统一加工的泥料，极为匀净细腻，即使调入砂粒，仍无古壶的质朴。有些器物用紫砂泥浆注塑成型，除轮廓不挺拔外，表面还有浮光包浆。

（2）装饰方法。

明代的作品注重泥料的淘炼和器型的雕琢。清初，受瓷器的影响，紫砂也采用表面装饰的方法。康熙时，早期的珐琅彩器就用的是紫砂胎。雍正、乾隆时，采取紫砂外施低温色釉或以彩漆描绘的方法。这种彩绘紫砂，乾隆后不再流行，直到近代又重新出现。乾隆时，壶表的堆花、贴花、印花和泥浆堆花等装饰手法得到较多运用，成为这一时期作品的重要特征。

清嘉庆时，采用砂壶外包锡的工艺，锡皮外刻制各种纹饰。有的还用玉石镶嘴尖、把手和盖纽（的子）。

紫砂表面经抛光，看上去光亮如镜，清代出口产品中应用较多，这种方法民国初又流行，有些运用铜片包饰口沿、盖沿、嘴口和盖纽。

（3）造型风格。

紫砂壶的造型有几何型、自然型和筋纹型三大类。

几何型俗称"光货"，以各种简洁的几何图形构成壶身、壶把、壶嘴和壶盖。如四方壶、汉君壶、合盘壶、掇球壶等。

自然型又称"花货"，造型模拟自然界的竹木蔬果或上古的铜铁瓷瓦器，如梅壶、竹壶、包袱壶、古玺壶、南瓜壶、铜镜壶、鱼龙壶等。

筋纹型是几何型和自然型的结合，模仿菱花、水仙、南瓜、菊花的造型，在器身上用纵向条纹分成若干块面。块面有外凸或内凹两种形式。如瓜棱壶、盉形壶、菱花仙子壶、希菊壶等。

纵观几百年的紫砂壶流行过程，每一阶段都有一种造型风格为主流，兼有其他形式。据有些学者的研究，分为初创期、筋纹型期、自然型期、书画几何型期和近现代期。

紫砂长生茶具

现代

规　格：高11.8厘米　口径横5.5厘米　纵4.7厘米

此壶器身为独果花生，硕大结实，果芽部巧作短流，与全器筋纹聚合。底部为根，顶部嵌盖，吻合浑成一体。以三节花生相联作把，开启的花生作钮，内有活动果核五颗，喻作"五子登科"。底钤"龙马轩"印款，壶把有"徐门"小章，盖内有"秀芳"、"达明"小章。

"魂"字壶

近代

夏乐紫砂壶

现代

规　格：高9.5厘米　宽14厘米

此壶用墨绿泥制作，色泽明丽清新。盖上塑一鸣蝉为钮，妙处有声，壶名曰："夏乐"。底钤"顺生造壶"印款，盖内有"倪"、"顺生"两方小章。把梢下有"倪"、"顺生"两方小章。把梢下有"倪"、"顺生"两方小章。

紫砂百福三足壶

近代

规　格：长17厘米

估　价：RMB 500~2 000

"何道洪"款。

荷塘蛙声紫砂壶

现代

紫砂瓜棱壶

民国

规　格：长18厘米

估　价：RMB 1 000

紫砂彩绘方壶

现代

规　格：长17厘米

黄庭坚与双井茶的故事

　　大凡一种名茶传世，都与名人大家的歌咏分不开。江西修水的双井茶扬名，主要得力于北宋著名文学家、书法家黄庭坚。黄庭坚是"江西诗派"的开创人，书法擅长行、草，与蔡襄、苏东坡、米芾并称为"宋四家"。双井茶形如凤爪，芽叶肥壮，白毫特多，风格独特。黄庭坚对家乡的双井茶十分推崇，特作《双井茶》诗赞美它，并发挥其书法特长，将《双井茶》诗写成书帖供人鉴赏。由于他的书法艺术出众，人们在欣赏其作品的同时，双井茶的知名度也随之得到提高。

收藏知识

初创期——以供春为代表，已罕见实物。据文献记载，几何型、自然型、筋纹型的造型均有，其中董翰所制菱花式壶已极为工致。

筋纹型期——以时大彬为代表，从十六世纪末至十七世纪初，几何型、自然型、筋纹型并见，从数量说几何型为多，以品质论筋纹型已占主导。

自然型期——以陈鸣远为代表，17世纪中至18世纪中，相当于清康熙、雍正、乾隆时期。三类造型均有作品问世，自然型逐渐代替筋纹型。除各种壶外，紫砂瓜果等象生雕塑也有许多非常成功的佳作。

书画几何型期——以陈曼生、杨彭年为代表，18世纪末至19世纪末，相当于清代中后期。这时期以各种镌刻书画的几何型为主流，壶的制作更追求文人趣味、在造型简洁、风格古朴，有较大块面的壶上刻诗句、警言或纹饰，非常注意造型和书画结合的整体效果。这时期自然型和筋纹型壶也取得了相当高的成就。

近现代期——20世纪初以来，涌现了一大批紫砂高手，技术更为娴熟，风格更趋多样，不但继承了各种造型的传统，而且创作了大量新的款式，粗略统汁已逾千种。各种带有现代气息的造型使紫

龙珠紫砂壶
现代

汉风紫砂壶
现代

两小无猜紫砂壶
现代

砂壶的制作进入了一个全新时期。

除造型外，由壶身通向壶嘴的通水孔，也具有时代特征：清嘉庆前都用独孔，网眼多孔出现于嘉庆中期，半球形的网眼罩则是受日本陶艺影响，近代才出现。

（4）铭文印记。

紫砂是一种完全艺术化了的日用器，作品上大多留下作者的铭文或印记，成为作品的重要组成部分。经过长期研究，考古界对紫砂铭义印记的演变及其时代特征有了规律性的认识。

据记载元末孙道明订制的茶壶上刻有"且喫茶清隐"五个草字，是目前所知紫砂壶铭文的最早年代。近年出土的明

山石楼亭人物描金紫砂壶

清代

规　格：高8.5厘米　长15厘米

估　价：RMB 60 000～70 000

"大清乾隆年制"六字三行篆书款。

代纪年墓中的紫砂器，也偶见标志性质的印记。传世的供春壶刻有篆体"供春"二字，海外也藏有刻供春字样的供春壶，但是否系供春原作尚存疑问。

明代万历后期，紫砂器多见楷书刻铭，在壶坯未干时用毛笔写好，以利刃双刀刻就，字口爽利，字体工致圆润，如晋唐小楷。明代壶上的这种楷书铭文个人风格不明显，估计非制壶人所写，可能有专业刻款者。明代制壶家陈辰精于刻款，许多制壶者都请他代笔，有"陶之中书君"的美誉，说明当时已有专业刻铭的艺人。

明末清初紫砂采取铭文和印记并用的方式，这时已少见单纯的楷书名款：陈鸣远生活在明末清初，他的作品上刻铭书法精妙、印记古雅，后世仿的极多。

清中期开始，以陈鸿寿、杨彭年为代表，把壶艺同文学、书画、篆刻结合在一起，使铭文印记从单纯的记事功能变成了装饰功能。壶上不但书法精妙、画意高雅，而且印鉴都出自名家之手，诗、书、画、印达到了完美的统一。

晚清时，紫砂上镌刻字画的方法逐渐流行，产生了分工，有专门从事刻字的匠人。工艺上改湿坯刻字为干坯刻字，改双人正刀法为单人侧刀法。干后的砂质泥料在刻制中崩剥纷落，具有更佳的表现能力，增加了金石气。这时宜兴涌现了如陈懋生、陈研卿、沈瑞田、邵云如、韩泰、卢兰芳等刻壶名家。

20世纪初，茶壶底印除一部分名家外，还有不少商号印记，另见寿星、天官、如意等图案。这时上海的一些商号如铁画轩、葛德和、陈鼎和等，都派专人赴宜兴订烧，因此印有商号的紫砂壶属当时的佳作。

20世纪50年代至70年代，除个别名家作品外，大部分紫砂器底部印"中国宜兴"四字篆文印，印由工厂统一用牛角刻制，壶盖内则钤作著姓名印。当时许多紫砂名匠都参加生产大宗商品，因而在这些普通壶中还可见到紫砂大师的作品。

20世纪80年代以来，紫砂又都打上作者印鉴，不但中档壶如此，低档壶也普遍见到。因此，近年新作不但要看是否有印记，还要看壶本身质量。

菱花六方紫砂壶

现代

紫砂扁壶

近代

紫砂竹节纹执壶

近代

二、紫砂壶赝品的鉴定

1.鉴赏紫砂壶的基本知识

评价一件紫砂壶的内涵，必须具备三个主要因素：美好的形象结构，精湛的制作技巧和优良的实用功能。所谓形象结构，是指壶的嘴、鋬、盖、钮、脚，应与壶身整体比例协调。精湛的技艺，是评审壶艺优劣的准则。优良的实用功能，是指容积和重量的恰当，壶鋬的便于执握，壶盖的周圆合缝，壶嘴的出水流畅，同时要考虑色地和图案的脱俗和谐。

当代紫砂陶艺大师顾景舟在《简谈紫砂陶艺鉴赏》一文中说："抽象地讲紫砂陶艺的审美，可以总结为形、神、气、态这四个要素。形，即形式的美，是指作品的外轮廓，也就是具象的辟面相；神，即神韵，一种能令人意远体验出精神美的韵味；气，即气质，陶艺所内涵的和谐协调色泽本质的美；态，即形态，作品的高、低、肥、瘦、刚、柔、方、圆的各种姿态。从这几个方面贯通一气，才是一件真正的完美的好作品。但这里又要区分理和趣两个方面。若壶艺之爱好者偏于理，斤斤较量于壶的容积的宜大宜小，嘴的宜曲宜直，盖的或盏或平，身段的或高或矮，侧重于从沏茶茗饮的方便为出发点，那就只知理而无趣。一种艺术的欣赏应该在理亦在趣。一件作品不管它是大是小，壶嘴是曲是直，盖子是盏是平，形制是高是矮，都在乎

紫砂砣形方壶
清代
规　格：宽8.5厘米

有趣，趣才能产生情感，怡养心灵，百玩不厌。所以观赏一件新的造型，应该在领悟到美的本质以后才始加以评点。从这样的审美态度作出发点，才能中肯地赢得普遍爱好砂艺界的共鸣。"

当然，作为一件实用工艺美术品，它的适用性也非常重要的，使用上的舒适可以愉悦身心，引起和谐的兴致。因此，也就要依据饮茶的习惯、风俗，有选择地考虑壶体的容量，壶嘴

孟臣款紫砂壶
清代
规　格：长14厘米
估　价：RMB 40 000～50 000

紫砂扁壶
民国

的出水流畅，壶把的端拿省力舒适等等。这些都是必须作具体范围的内容来考虑的。

当今，鉴定紫砂壶优劣的标准归纳起来，可以用五个字来概括："泥、形、工、款、功"。前四字属艺术标准，后一字为功用标准，分述如下：

一是"泥"。紫砂壶得名于世，固然与它的制作分不开，但根本的原因，是其制作原材料紫砂泥的优越。近代许多陶瓷专著分析紫砂原材料时，均说其含有氧化铁的成分，其实含有氧化铁的泥，全国各地不知有多少，但别处就产生不了紫砂，只能有紫泥，这说明问题的关键不在含有氧化铁，而在紫砂的"砂"。根据现代科学的分析，紫砂泥的分子结构确有与其他泥不同的地方，就是同样的紫砂泥，其结构也不尽相同，有着细微的差别。这样，由于原材料不同，带来功能效用及给人的官能感受也就不尽相同。功能效用好的则质优，不然则质差；官能感受好的则质优，反之则质差。所以评价一把紫砂壶的优劣，首先是泥的优劣。

按泥的色来分，大致有黑泥、深紫泥(俗称"拼紫")、浅紫泥(俗称"普紫")、红泥、米黄泥、绿泥六种。两种以上的泥混合或者加入化工呈色剂，又可产生许许多多的泥色。近年来，冻梨泥色、墨绿泥色、古铜泥色，就是这样产生的。

但不管怎样，泥色的变化，只给人带来视觉感官的不同，与功用、手感无济。而紫砂壶是实用功能很强的艺术品，尤其因为使用的习惯，紫砂壶需要不断抚摸，让手感到舒服，达到心理愉悦的目的，所以紫砂壶质表的感觉比泥色更重要。紫砂与其他陶泥相比，一个显著的特点就是手感不同。一个熟悉紫砂的人，闭着眼睛也能区别紫砂与非紫砂，摸非紫砂的物件，就如摸玻璃质器物——黏手；而摸紫砂物件，就如手摸豆沙——细而不腻，十分舒服。所以评价一把紫砂壶，壶质表的手感是十分重要的内容。近年来时兴的铺砂壶，正是强调这种质表手感的产物。

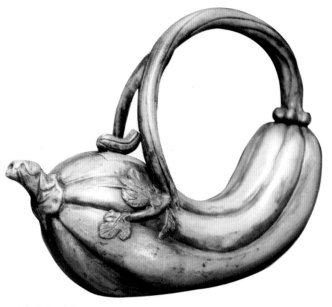

紫砂瓜形壶

现代

如何使紫砂泥性能更好？在经过几十年工业化生产后，人们逐渐发现用原始手工方法炼制的紫砂泥比大工业生产的紫砂泥，更能体现紫砂本身的个性，手工味更浓，更有人情味。于是近年来，有不少大家开始摒弃工业化作法，而采用手工作坊作法。其中最突出的是有"壶艺魔术师"之称的吕尧臣。他十分重视的泥的质量，当紫砂工艺厂在成吨成吨进泥的时候，他仅一两一斤地进，见有特别好的泥，不惜重价，不惜陈腐时间长，也不惜炼制工序的繁复，以致许多工艺师都惊叹，吕尧臣把"好泥"都垄断了。所以，目前就紫砂壶的原材料来说，最好的莫过于"尧臣壶"，它具有"色不艳、质不腻"的显著特点，以致价格一涨再涨。

紫砂诗文壶

民国

紫砂竹编纹壶
近代

二是"形"。紫砂壶之形,是存世各类器皿中最丰富的了,素有"方非一式,圆不一相"之赞誉。如何评价这些造型,也是"仁者见仁,智者见智",因为艺术的社会功能即是满足人们的心理需要,既然有各种各样的人,就会有各种各样的心理需要:大度的爱大度,清秀的爱清秀,古拙的爱古拙,喜玩的爱趣味,人各有爱,不能强求。有专家认为古拙为最佳,大度次之,清秀再次之,趣味又次之。因为紫砂壶属整个茶文化的组成部分,所以它追求的意境,应是茶道所追求的意境"淡泊平和,超世脱俗",而古拙正与这种气氛最为融洽,所以古拙为最佳。

许多制壶艺人,虽亦明白这个道理,但却是一味模仿古拙,结果反是"东施效颦",把自己的可爱之处丢掉了。须知,艺术品乃是作者心境之表露,修养之结果,不是其他所能替代得了的。所以,模仿是不可能达到古拙境地的。

历史上遗留下来许多传统造型的紫砂壶,例如石銚、井栏、僧帽、掇球、茄段、弧菱、梅桩等等,是经过年代的冲刷,而依然闪烁发光的优秀作品。现在许多艺人的临摹,也是一人一个样,各不相同。譬如石銚壶,据不完全统计,就有一百多种,原因就是古今的艺人们,都把自己的审美情趣融进了他们的作品之中。

说起"形",人们常把它与紫砂壶艺的流派相并提,认为紫砂壶流派分"筋囊"、"花货"、"光货"等,其实,这是错误的分析。道理很简单,就如戏剧表演家的流派分类,不能以他演什么戏而定,而应以他在戏剧表演中追求的精神境界而定。同样花货中有人追求古拙,有人追求清秀,也有人追求趣味。艺术

家在他们的艺术生涯中,一旦艺术成熟,必然形成他的个人风格,几个相差无几的个人风格凑在一起,就成了流派。根据这个道理,紫砂壶艺的流派不宜以作那类作品来划分,而应以作者所追求的精神境界来划分。

艺术讲究的是感觉。一把紫砂壶造型的优劣,全凭个人的感觉,作壶的讲"等样"、"等势",就是造型学讲的"均衡"。讲许多高深的理论,很可能越讲越不清,不是有句俗话只可意会,不能言传吗?艺术上的感觉,全靠心声的共鸣,心灵的理解,即所谓"心有灵犀一点通"。

三是"工"。中国艺术有很多相通的地方,例如京剧的舞蹈动作,与国画的大写意,是属于豪放之列。京剧唱段与国画工笔,则属于严谨之列。而紫砂壶成型技法,乃与京剧唱段、国画工笔技法,有着异曲同工之妙,也是十分严谨的。

点,线、面,是构成紫砂壶形体的基本元素,在紫砂壶成型过程中,必须交待得清清楚楚,犹如工笔绘画一样,起笔落笔,转变曲折,抑扬顿挫,都必须交待清楚。面,须光则光,须毛则毛;线,须直则直,须曲则曲;点,须方则方,须圆则圆,都不能有半点含糊。否则,就不能算是一把好壶。

按照紫砂壶成型工艺特殊要求来说,壶嘴与壶錾要绝对在一直线上,并且分量要均衡;壶口与壶盖结合要严谨。这也是"工"的要求。

四是"款"。款即壶的款识。鉴赏紫砂壶款的意思有两层:一层意思是鉴别壶的作者是谁,或题词镌铭的作者是谁?另一层意

紫砂柱形印文方壶
现代

紫砂清白提梁壶

现代

规　格：高17厘米　宽16厘米

此壶壶身塑一棵白菜，壶底为藤框，提梁似藤条，菜根作流，平嵌盖与菜叶融为一体，菜叶卷曲，生态自然，叶脉叶茎的制作犹如写生。壶钮塑一蜗牛，恰到好处。底钤"定芳捏塑"印款，盖内和把梢下有"定芳"小章。

思是欣赏题词的内容(文字)、镌刻的书画，还有印款(金石篆刻)。

　　紫砂壶的装饰艺术是中国传统艺术的一部分，它具有中国传统艺术"诗、书、画、印"四位一体的显著特点。所以，一把紫砂壶可看的地方，除泥色、造型、制作工夫以外，还有文学、书法、绘画、金石诸多方面，能给赏壶人带来更多美的享受。

　　历来，紫砂壶是按人定价，名家名壶身价百倍。在商品经济社会尤其显得突出。这样，市场上就容易出现许多模仿名家之作，伪造的质品屡见不鲜，选购名壶尤其需要小心。

　　五是"功"。所谓"功"是指壶的功能美。近年来，紫砂壶新品层出不穷，如群星璀璨，令人目不暇接。制壶人讲究造型的形式美，而往往忽视功能美的现象，随处可见。尤其是有些制壶人自己不饮茶，所以对饮茶习惯知之甚少，这也直接影响了紫砂壶功能的发挥，有的壶甚至会出现"中看不中用"的情况。

　　其实，紫砂壶与别的艺术品最大的区别，就在于它是实用性很强的艺术品，它的"艺"全在"用"中"品"，如果失去"用"的意义，"艺"亦不复存在。所以，千万不能忽视壶的功能美。

　　紫砂壶的功能美主要表现在：一、容量适度；二，高矮得

当；三、口盖严谨；四、出水流畅。按目前我国南方人(包括港台)的饮茶习惯，一般二至五人会饮，宜采用容量350毫升为最佳。其容量刚好四杯左右，手摸手提，都只需一手之劳，所以称"一手壶"。

　　紫砂壶的高矮，各有用处。高壶口小，宜泡红茶；矮壶口大，宜泡绿茶。但又必须适度，过高则茶失味，过矮则茶易从口盖溢出，大煞风景。煞风景的还有壶嘴出水不畅，几粒很小的珠茶，到得壶中，均变成大叶，易把出口堵住，此时需把壶嘴通一下为妙。现时作壶已根据饮茶人习惯，把壶嘴改成独口，使流水明显比以前通畅。

　　要求壶的口盖严谨，能使冲壶水于茶海而不致落入壶内，看来似乎与功能美关系不大，实际是为讲究卫生，也不可不提。凡此种种，都属功用标准。

　　2. 紫砂壶赝品及其鉴定

　　随着岁月的流逝，传世的紫砂名壶成了历史遗留下来的珍贵文物，为国内外博物馆及收藏家所悉心搜求。明代的名家名壶，到清初已极为珍贵，清初名家陈鸣远等的作品，在清末也已十分稀少。于是，为了满足各方面的搜求，就出现了赝品。

　　关于紫砂壶艺的仿制，由来已久。早在明代，文献上就有时大彬"仿供春得手"的记载，传器有"仿供春龙带壶"，说明时大彬曾仿制过供春的作品。时大彬成名之后，仿制大彬壶的

荷叶壶

现代

规　格：高9.1厘米　口径6.5厘米

估　价：RMB 50 000～70 000

紫砂壶

现代

人也很多，文献中就有所谓"李大瓶，时大名"的记载，说明大彬壶也有李仲芳所制作，大彬"见赏而自署款识"。还有名家陈信卿，善仿时大彬、李茂林之传器，文献说陈信卿还"多削改弟子作品而署款"。可见有些制壶名家的作品，实际上是其弟子所制。

在清代，制壶名家杨彭年的女儿杨莲凤，据传所制茗壶多盖彭年印章，故而少见莲凤印记的壶艺作品。近代（民国初年），制壶名家程寿珍的儿子程盘根，所制茗壶的落款很多是使用他父亲的印章，特别是那枚"八十二老人作此茗壶巴拿马和国货物品展览会曾获优秀奖"的印章，程寿珍逝世后也一直由程盘根保管使用。

再说现代的紫砂行业中，徒弟制壶铃师傅印章者有之，儿子、儿媳及女儿、女婿制壶铃父母亲印章者也有之。其他陶人作假的情况，则更可想而知了。

传世的紫砂名壶，问题比较复杂，为了分清是非，去伪存真，就必须进行鉴识。而要学会鉴识紫砂茗壶，就必须既要知真，又要知假；如不能知假，也就难以辨真。所以，我们对紫砂茗壶作伪的各种情况，必须有所了解。

19世纪中叶和20世纪初期，一度曾出现过摹仿古代名家名壶的热潮，其复制作伪的方法有三种：第一，按照名人的传世名壶进行摹仿复制；第二，一些古玩商根据紫砂壶艺史籍记载的品名，通过艺匠臆测构思设计制作；第三，将一些品位高雅、工艺精致的无款紫砂茗壶补刻上历代名家的款识或盖上名家的印章。

第一种情况的仿制者往往都是茗壶技艺上的"高手"，无论在技艺上、泥色上都远远超过历史原作，所以将摹制品与明代或清代初期传器相比，都显示出后代摹仿品的高水平，其价值

紫砂异形壶
现代

下真迹一等，有些作品的价值还要超过原作，碰到这样的仿制品可以说是三生有幸。只是对几位杰出的大家，如项圣思、陈鸣远、邵大亨等名家的旷代佳作，尽管复制者技巧很是精工，总觉得在神韵上有所不逮。这类作品流传至今日，还是很有收藏价值的。它应当区别于现代的假劣伪造的赝品。

第二种是近年出现的借图谱仿造的茗壶产品。作假人虽也有一些过硬功夫，但风格和韵致皆不对路，所以做出来的茗壶很难得要领，很难作到原品形、神、气、态的和谐。稍有紫砂壶艺常识的人，一看便知。

第三种假冒名家的赝品，只要了解某些名家名作的壶艺风格、形制、技巧手法、艺术擅长和款识的形式，一戳即穿。因此，凡遇名家的名壶，千万要小心辨识。

紫砂弥勒壶
现代

知足长乐紫砂壶

近代

紫砂茗壶的鉴识对象，主要是传世名壶和当代名人的作品。明、清流传下来的紫砂茗壶中，真伪掺杂，鉴识有一定的难度。而当代制壶技艺已经相当成熟，赝品伪作有些已达到了真伪难辨的程度。当今紫砂茗壶作假的方法尽管很多，但归根究底都不外乎以下三类：一是地地道道的完全作假；二是新壶做旧；三是代做的紫砂茗壶。代做的茗壶虽然说它是假的，但又和前二种作假有所不同。

完全作假的紫砂名壶。一种情况是作伪者没有见过真品，只知其大名，而不了解名人的制壶风格，作伪者与名人之间的时代相隔较远。这类伪品的特点：不是制作技艺高超，就是制作手段较为拙劣。例如仿时大彬的伪品，大致可分三个时期。第

一，若是同时期即明末紫砂艺人仿制的，那么伪作的壶体造型和所刻书体款识，基本上接近时大彬的风格，较难辨别；第二，清中期的伪品，作伪者制壶技艺较高，可惜壶上出现时大彬的印章款识，不符合真品特色，容易鉴别；第三，清末和民国时期的伪品，壶艺制作手段一般，而又有清中期伪品遗风，即壶底或壶盖都有印章落款，更易辨别。大彬壶上不可能出现刻款和印章同时并用的形式。

十几年前曾出现一批仿陈鸣远的茗壶伪品，有自然形和几何形二种款式，几何形体以小型鼓腹式壶居多，简称"一手壶"，壶底使用的印章是四字楷书款"陈鸣远制"，显然，作伪者是根本不了解陈鸣远印款的特点。

另一种完全造假的紫砂茗壶，是参考名家名壶出版物仿制和以实样仿制。这种仿制作假方法，自清末、民国时期，一直沿用到现在。从事紫砂壶收藏和鉴定，必须了解这些情况。对于以实样仿制的赝品名壶，辨别真伪时，一定要谨慎地细心察看，发现破绽要认真研究分析。同时，还要抓住伪品的一些薄弱环节，如有名人刻款的茗壶，要三思名人刻款的风格特点，刻字笔画的多或少等等。再如有名人装饰的茗壶，要细看其装饰手法，大凡名人的装饰特点是一巧、二细、三气质佳，有一种脱俗气息；而伪品的制作一是功力不够，二是缺乏这种艺术境界。依葫芦画瓢的东西，终究不可能成为高雅艺术品。

范鼎甫紫砂柿子提梁壶

近代

估　价：RMB 48 000

此壶采用桔段作为提梁和嘴流，柿蒂盖也捏成翻卷状，使得全器古朴雅致。盖印"鼎甫"。底印"全鼎商标"款。

新壶表面都有一层新器的光泽，如果去除这层光泽，就可作为旧壶出售，以假乱真。所使用的方法有以下几种：

①将新壶放入浓重的红茶汤中煮烧，经过一定时间后取出，待干燥后再投入，这样反复煮烧几次，达到除去新光的效果，经过处理的新壶，表面滞涩黯然。这个方法是从玉器、瓷器做旧的常用方法中借来的。

②将新壶埋在地下，使新壶在地下水和土质(酸性或碱性)的作用下，自然退去新光，这是借用青铜器做假的一种方法。

③在新壶上擦拭同色的皮鞋油，鞋油吸附在紫砂壶表面，掩盖壶的新光。但这种做因有鞋油的异味，容易被买主识别。

④用浓茶汁、食油、酱油、醋、糖调合在一起，涂抹新壶表面，或者加温蒸煮，使调合汁吸入壶胎，退去新光，但这样做壶表油腻，用手触摸即可感觉到，这种方法也容易识破。

暖座式紫砂壶

现代

20世纪80年代末、90年代初，随着紫砂壶收藏热潮在中国港台、东南亚地区掀起，作伪之风再度盛行。所有这些赝品伪作的手法，最常见的是新壶做旧。

细心察看名壶有无作伪痕迹，这是顾景舟大师的一种鉴辨技巧。有的人在造假作伪时，将壶的表面覆满旧茶迹，但壶盖和壶颈子口的吻合之处，并无长期使用的磨损痕迹，这就露出了马脚。

关于新壶做旧。这种作伪伎俩是随着国内外对紫砂壶爱好的兴起而出现的，是一种不择手段牟取暴利的卑劣行为，而且随着时间的推移，其做旧方法越来越多。

冯桂林紫砂高梅花壶

近代

估　价：RMB 65 000

盖印"桂林"。

紫砂兰花壶

现代

估　价：RMB 5 000

紫砂刻诗文圆壶

现代

此外，还有一些制壶陶人，技艺精绝，名声显赫，其制品为时人所钟爱，订购者众多，或者应酬繁忙，应接不暇，于是让徒弟或请同时代制壶陶人，代为制壶，自己署款。此种代制的紫砂茗壶，虽然与后世的作伪有别，但毕竟不是本人所制，也应归于赝品之列，只是鉴辨较为困难。

鉴辨一件紫砂茗壶的真伪，判定其是历史遗留下来的真品，还是后世的仿品或伪造，必须要从壶式造型的时代风格、泥料、工艺、装饰的特征、署款铭记的方式、内容等几个方面，进行全面的考察分析，才能得出正确的判断。

三、紫砂壶的评价与欣赏

古人有爱兰、爱菊、爱莲、爱梅、爱酒与爱茶者，今人则有爱集邮、爱火花、爱古钱、爱字画、爱陶瓷、爱古玩者，至

紫砂镶金三足鼓形壶

清光绪

规　格：高6.5厘米

估　价：RMB 28 000～38 000

成交价：RMB 47 300

朱可心松鼠葡萄紫砂壶

现代

估　价：RMB 180 000

底印"可心"。

于爱紫砂壶成癖者，往昔有项子京、吴骞、吴大澂、张叔未、李景康、张虹、储南强诸名士，当今则有唐云、亚明、冯其庸、罗桂祥、许四海、唐国新、浪石、刘鸿禧、姚世英、富华、王一羽等名家，在我国台湾亦有众多爱好者及收藏家。紫砂壶从品茗用具演变成文人雅士的欣赏玩器，成为收藏家竞求的珍稀玩物，使人不见则已，一见爱不释手；不集也罢，一集终生不休。自有其审美价值和经济价值，而其简练大方之形、淳朴典雅之色、安祥恬淡之态，更为海内外各方人士所钟爱。

如何评价、鉴定一件紫砂壶的优劣?古今中外许多收藏家心里都有自己的标准。诉诸文字者，前人虽有片言只语，但系统理论却不多见。因为各家自有各家言，标准也就不尽相同。但能达成共识的，不外乎两个标准：一是艺术标准，二是功用标准。

王寅春紫砂玉笠壶

现代

估　价：RMB 40 000

笠形钮，笠形盖，圈足，双勾阴线起沟槽。泥色滋润，表面铺沙，造型平中求奇。底印"王寅春制"。

邵大亨制紫砂仿古壶

清代

规　格：长17.5厘米

估　价：RMB 35 000～45 000

成交价：RMB 38 500

吕晓臣紫砂八方云纹绞泥壶

现代

规　格：高7.5厘米

估　价：RMB 78 000

此壶云纹流畅，线条变幻，色泽柔和，纹理苍郁。底印"吕晓臣制"。

1.前人对紫砂壶的评价

"茗注莫妙于砂，壶之精者又莫过于阳羡。"这是明人李渔对紫砂壶的总评价。

为什么宜兴的紫砂壶好？这可以从两方面来说明。一方面，它是艺术品，形制优美，颜色古雅，可以"直跻商彝周鼎之列而毫无惭色"。另一方面，它又是实用品，用以沏茶，茶味特别清香："用以盛茶，不失元味"。明人文震亨在《长物志》一书中说："茶壶以砂者为上，盖既不夺香，又无熟汤气。"还有许次纾《茶疏》也说："以粗砂制之，正取砂无土气耳！"紫砂壶还有一种特点，就是使用越久，器身色泽越发光润，沏出来的茶汁也越发醇郁芳馨。《阳羡茗壶系》说："壶经用久，涤拭日加，自发暗然之光，人手可鉴。"在林古度《陶宝肖像歌》里也有"久且色泽生光明"的诗句。这种既有艺术价值又实用价值的特点，使紫砂壶的身价"贵重如珩璜"，甚至于超过珠玉。

清人汪文柏赠给当时紫砂壶名家陈鸣远的一首《陶器行》诗里，有"人间珠玉安足取，岂如阳羡溪头土"的赞句，可见宜兴紫砂壶的身价是非常高的。究竟值多少钱一具呢？明人周澍《台阳百永注》里说：供春小壶一具，"用之数十年，则值金一笏。"到了清康熙年间(1662～1722年)，也是"一具尚值三千缗"，可见名家出品价格尤高；再往后，则凡是明代名家所制的紫砂壶，不仅"价埒金玉"，而且已为"四方好事者收藏殆尽"。

爱壶者不仅重金购藏名家茗壶，甚至对一些残破的紫砂壶，也愿意出价收购，明末周伯高就是这样的人。他在《过吴迪美朱萼堂看壶歌》中说："供春、大彬诸名壶，价高不易辨。予但别其真，而旁搜残缺于好事家，用自怡悦。"

紫砂壶古朴淳厚，不媚不俗，与文人气质十分相近。文人玩壶，视为"雅趣"参与其事，成为"风雅之举"。他们对紫砂壶的评价是："温润如君子，豪迈如丈夫，风流如词客，丽娴如佳人，葆光如稳士，潇洒如少年，短小如侏儒，朴讷如仁人，飘

宜兴炉钧窑紫砂壶

清代

规　格：长22厘米

估　价：RMB 3 500～5 000

成交价：RMB 3 850

宜兴窑锡包砂镶玉纽题诗五角形茶壶

清道光

规　格：宽18.1厘米

估　价：USD 1 500～2 200

成交价：RMB 22 701

徐汉棠紫砂开片四方壶

现代

估　价：RMB 120 000

此壶模仿青瓷哥窑开片技术，嵌
色泥，形成残缺和立体的美。

宜兴紫砂刻梅纹茶壶

清代

规　格：口径6.8厘米

估　价：HK$ 120 000～150 000

成交价：RMB 228 960

橄榄轩朱泥大红袍紫砂壶

清乾隆

规　格：长16厘米

估　价：RMB 40 000～50 000

成交价：RMB 41 810

乾隆朝艺人款鉴赏

澹然斋款壶，为乾隆的典型作品，此壶的装饰方
法，是在烧成后的壶体上施粉彩，再入窑经过二次烧
成。满釉装饰紫砂壶掩了盖了紫砂壶的原有特点，所
以乾隆以后，此种工艺不再流行。只是近些年来，出
现了一些仿品，但无论釉料、画法都不如过去，只是
满足了一些人的好奇。

六方狮钮壶，邵瑞元制。该壶造型与1984年南海
沉船被打捞上来的外销六方狮钮壶（香港茶具博物馆
藏）几乎相同。只是被打捞出来的壶，壶盖上狮子前
一滚动的小球没有了。该壶无款。两壶相比，邵瑞元
制的壶，比它更精致一些。

六方描金壶，董永季制，壶颈略高，三湾流，圆
方形环把大方、稳重，壶体装饰较为少见。壶体髹漆描
金，色彩艳丽。

综观乾隆民间紫砂壶艺，造型简洁、大方，装饰
方法多种，款识变化不大，制作工艺比较讲究。就目
前古玩市场来看，有时还能偶尔遇见。

收藏知识

朱可心紫砂线圆壶

现代

估　价：RMB 65 000

此壶系朱可心赠与韩姓熟人的作品，造型优雅，盖缝严密，简洁舒畅。盖印"可心"。底印"朱可心"。

逸如仙子，廉洁如高土，脱尘如衲子。"紫砂壶与当时名震宫廷的景德镇瓷器是截然不同的感觉，因而博得古今外文人的"深爱笃好"。

2.如何进入欣赏紫砂壶之门

欣赏紫砂壶，必须从爱壶、玩壶入门，在使用、玩赏中，了解什么是正宗紫砂，紫砂泥原料的性能、化学成分、分子结构、吸水率、透气性、紫砂壶泡茶、注茗的功能，壶的造型、泥的色泽、工艺技巧以及装饰手段、艺术风格、名人名作、历史沿革、流派等等，逐步确立自己的收藏风格。欣赏紫砂壶，亦浅亦深，亦玄亦神，关键在于你如何进入赏壶之门。

宜兴紫砂壶历来分四个档次：实用品（大路产品）、工艺品（细货）、特艺品（名人产品）及艺术品（富于艺术生命之作）。实用品的特点是每个历史时期投入的制作人员最多，制作技艺较差，

日产量高，品种单一，这项产品历来不入赏壶之列（历史上也有专做大路产品而独具功力的高手，应属例外）。工艺品出于良工巧手，其作品一般来说制工精良，但出于历史或文化因素、艺术素质，他们的作品大多为模仿传统造型，或创作一些符合初涉紫砂爱好者喜爱的造型。再上一个层次就是名人产品，称之为特艺品。名人当然是在同行中出类拔萃的佼佼者。名人少，作品亦少，它总是赏壶、藏壶者渴求的对象。艺术品，粗略地说，并非就特种工艺、精湛技艺、独具功能、材质贵重等而言，而是根据作者文化艺术素养的高下，在紫砂这个传统工艺中注入艺术生命的多少来判定的。

不富收藏就无赏壶可言。收藏应该各有所好，不必强求一致，多，全，精，专，深，大，小，都可视为收藏特色。在收藏中可以学会欣赏，在欣赏中能够学会收藏。

紫砂花卉文字茶壶

清代

规　格：高8.5厘米

估　价：RMB 20 000～30 000

成交价：RMB 170 500

欧正群钱币如意紫砂壶

明代

规　格：长20厘米

估　价：RMB 600 000～800 000

成交价：RMB 33 000

徐汉棠紫砂皮革壶

现代

估　价：RMB 180 000

冯桂林紫砂五竹壶

近代

规　格：高10厘米

估　价：RMB 30 000

盖印"桂林"。

四. 紫砂壶的选用与收藏

选用紫砂壶，若以名为贵或以稀为贵，那是古董收藏家的事。一般选壶，不必过分讲究，只要是把好的紫砂壶，用以泡茶，善于蕴味育香；使用经久，越发光润古雅，就会给你的饮茶生活带来艺术享受和无穷乐处。

选壶要领：一、购置新壶，壶的造型与外观要美，只要自己看得舒服满意，那就代表了个人的美感。壶毕竟是自己使用的，未必要追随流行样式。二、壶的质地，胎骨要坚，色泽要润。选用新壶，可先轻拨壶盖，以音色清脆轻扬，听来悦耳者为佳。三、壶中之味，应注意闻闻。一般新壶可能会略带土味，但可选用。若带火烧味、油味或人工着色味的则不可取。四、壶的精密度即壶盖与壶身的紧密程度要好，否则茶香易散，不能蕴味。测定方法是注水入壶试验，手压气孔或流口，再倾壶，若涓滴不出或壶盖不落，就表示精密度高。五、壶的出水效果跟"流"的设计最有关系。倾壶倒水，能使壶中滴水不存者为佳。出水水束的"集束段"长短也可比较，长者为佳。六、壶把的力点应接近壶身受水时的重心，注水入壶约四分之三，然后慢慢倾壶倒水，顺手者则佳，反之则不佳。七、壶的特性与茶的特性宜相配合则适宜性更佳。壶音频率较高者，适宜配泡，重香气的茶叶，如清茶；壶音稍低者宜配泡重滋味的茶，如乌龙、铁观音。

养壶要领：一、新壶新泡。先要决定此壶将用以配泡哪种茶？譬如是重香气的茶还是重滋味的茶，如果讲究的话，都应有专门备泡的壶。但是不讲究也无妨。二、使用新壶。应先用茶汤烫煮一番，一则除去土味，也可使壶接受滋养。方法是用干

陈仲美制紫砂壶

明代

规　格：长14.5厘米

估　价：RMB 6 000～8 000

成交价：RMB 6 600

御题紫砂壶

清代

规　格：高14厘米

估　价：RMB 80 000～100 000

成交价：RMB 88 000

宜兴紫砂刻纹石榴形壶

清代

规　格：高14厘米

估　价：EUR 6 000

成交价：RMB 70 840

桑梨兵荷塘清趣紫砂壶

现代

任淦庭紫砂陶刻牛盖洋桶大壶

现代

估　价：RMB 20 000

紫砂御题诗山水纹茶壶

清乾隆

规　格：高12.5厘米

估　价：RMB 120 000~180 000

成交价：RMB 121 000

净锅器盛水，用小火加热煮壶，到水将滚未滚时，同将茶叶放入锅中同煮；等滚沸后捞出茶渣，再稍待些时候取出新壶置于干燥且无异味处自然阴干后，便可使用。三、旧壶重泡。每次泡完茶后，将茶渣倒掉，并用热水涤去残汤，以保持清洁，合乎卫生。四、注意"壶里茶山"。有人泡茶，只除茶渣，而往往将茶汤留在壶里阴干，日久累积茶山，如维护不当，易生异味。所以在泡用前更应以滚沸的开水冲烫一番。五、把茶渣摆存在壶里来养壶的方式绝不可取。一方面茶渣闷在壶里易有酸馊异味，有害于壶；另一方面紫砂壶乃吸附热香茶味之质，残渣剩味实也无益于壶。六、壶应经常擦拭，并用手不断抚摸，不仅手感舒服，且能焕发出紫砂陶质本身的光泽，浑朴润雅，耐人寻味。七、清洗壶的表面，可用手加以擦洗，洗后再用干净的细棉布或其它较柔细的布擦拭，然后放于干燥通风且无异味之处阴干。久而久之，自会与这把壶发生感情。

宜兴紫砂加彩开光茶壶

清代

规　格：高14.5厘米

估　价：RMB 30 000~50 000

成交价：RMB 33 000

王寅春紫砂四方鼓腹壶

现代

估　价：RMB 120 000

壶底款"清淡见滋味　鸣远"。盖内印"寅春"。

冯桂林紫砂四方竹段壶

近代

估　价：RMB 32 000

哈萨克族的奶茶

　　居住在新疆天山以北的哈萨克族和居住在这里的维吾尔族、回族等兄弟民族，茶在他们生活中占有很重要的地位，把它看成与吃饭一样重要。

　　哈萨克族煮奶茶使用的器具，通常用的是铝锅或铜壶，喝茶用的大茶碗。煮奶时，先将砖茶打碎成小块状。同时，盛半锅或半壶水加热沸腾，随着抓一把碎砖茶入内，待煮沸5分钟左右，加入牛（羊）奶，用量约为茶汤的1／5。轻轻搅动几下，使茶汤与奶混合，再投入适量盐巴，重新煮沸5～6分钟即成。讲究的人家，也有不加盐而加食糖和核桃仁的。这样才算把奶茶煮好，供随时饮用。

　　奶茶对初饮者来说，会感到滋味苦涩而不大习惯，但只要在高寒，缺蔬菜，食奶肉的北疆住上十天半月，就会感到喝奶茶是不可或缺的饮料。

收藏知识

宜兴紫砂提梁茶壶

清末

规　格：长14厘米

估　价：HK＄60 000～80 000

成交价：RMB 76 320

紫砂狮球茶壶

民国

规　格：长20.5厘米

估　价：RMB 20 000～25 000

成交价：RMB 19 800

紫砂制摄球茶壶

清代

规　格：长 19 厘米

估　价：RMB 100 000~120 000

成交价：RMB 104 500

"虎卧凤阁"紫砂茶壶

现代

名壶收藏：目前，在中国香港、中国台湾和东南亚一带，紫砂壶已和中国几千年的茶文化联系在一起，成为受人青睐的国粹。收藏名壶成了人们精神享受上的一种乐处，许多人竞相高价收购珍藏，犹如五十年前的上海一样出现"一两紫砂一两黄金"的身价。大陆改革开放，为中国台湾、中国香港、日本和一些东南亚国家的华裔嗜茶者，提供了寻觅他们梦寐以求的制作精巧的紫砂壶的大好机遇。

五、紫砂壶的整修与保养

1. 紫砂茶壶的整修

对已购买好的紫砂茶壶来说，它们的式样已经定型，但它的功能，是可以通过整修，以符合自己的使用要求。紫砂茶壶的整修，十分简单，使用的工具也十分简单，一根尖头钻石挫刀，几张粗细不等的砂皮(纸)，一些金刚砂，一块肥皂头。其整修过程如下：

(1)先检查一下紫砂茶壶表面是否有细粒痕，棱角线是否平直等。如果茶具的疤痕比较明显，可以先用稍粗的砂纸擦拭，再用细砂纸轻拭，使茶具表面或棱角线有平滑光洁之感。

陈光明紫砂牛盖提梁壶

清末民初

估　价：RMB 90 000~120 000

底印"陈光明制"，盖印：圆章"陈"，小方章"光明"。陈光明，清末民初人，制壶名手，文玩小品皆精，其材质、制工特别出众。

**祥陶坊大红袍朱泥
小品紫砂壶**

现代

(2)如果壶盖和口沿不密封，需要加以整修，通常可先在壶盖沿抹些肥皂；再抹上些已加水调匀的金刚砂；最后，一手握壶底，一手握壶盖，两者以相反方向轻轻用来回研磨，直至盖沿与口沿顺畅能禁水为止。

(3)检查一下紫砂壶盖钮上的气孔，倘若气孔太小，或有微粒阻塞，可用挫刀尖头，慢慢挫大挫平。

2.紫砂壶的保养

紫砂壶的保养，俗称养壶，目的在于使壶能更好地蕴香育味，进而使紫砂壶能焕发古朴的光泽和油润的手感。养壶的方法很多，首要的一条，就是小心使用，以保持壶的完整。下面介绍一下新壶和旧壶的保养：

(1)新壶的保养。

新壶使用前，用洁净无异味的锅盛上清水，再抓一把茶叶，连同紫砂壶放人锅中煮，沸后，继续用文火煮上半小时至1小时。须注意的是锅中茶汤容量不得低于壶面，以防茶壶烧裂。或者等茶汤煮沸后，熄火，将新壶放在茶汤中浸泡2小时，然后取出茶壶，让其在干燥、通风，而又无异味的地方自然阴干。用这种方法养壶，不仅可除去壶中的土味，而且还有利于壶的滋养。

(2)旧壶的保养。

旧壶在泡茶前，先用沸水冲烫一下；饮完茶后，将茶渣倒掉，并用热水涤去残汤，保持壶内的清洁。生活中，有的品茶者喜欢将茶的汤和渣留在壶内养壶，这样做的目的主要有两个方面：

①会使茶渣在壶内产生酸馊味，不合卫生要求。

②残渣异味吸附在壶中，无助于茶香、茶味的发挥，用这种方法养壶是不可取的。

另外，对新壶或旧壶来说，都经常清洁壶面，并用手或柔软的布料擦拭，这样有利于焕发紫砂泥质的滋润光滑，使手感变得更好。长此以往，更会使品茶者与壶之间，发生一种不可名状的情感，以平添品茗的无限情趣。

俞国良梅花周盘壶

清代

规　格：高8.4厘米

估　价：RMB 25 000～35 000

盖印"国良"。

蒋蓉紫砂西瓜壶

现代

估　价：RMB 120 000

此壶系蒋蓉代表作之一，现藏中国香港茶具文物馆。

顾景舟紫砂如意仿古壶

现代

规　格：高8厘米

估　价：RMB 280 000

此壶系顾景舟代表作之一。

瞿应绍刻绘石铫壶

现代

规　格：高9厘米

估　价：RMB 40 000~50 000

底款阳文篆书大方章"壶公冶文"，盖款小方章"彭年"。

徐达明"汉韵"紫砂壶

现代

估　价：RMB 50 000~70 000

此壶为木镶嵌紫砂茶具。

主要参考书目

1、黄山书社，《紫砂壶》，2002 年，刘振清编著

2、上海古籍出版社，《实用收藏大全》，1999 年，本社编

3、湖北美术出版社，《中国古青铜器》，2001 年，吴镇烽主编

4、上海科学普及出版社，《中华文物古玩鉴识》，1999 年，陈文平主编

5、山西人民出版社，《中国茶文化》，2002 年，陈香白著

6、大世界出版公司，《亲近紫砂》，2001 年，吴达如，吴烈著

7、四川科学技术出版社，《个人收藏品收集与养护知识大全》，2003 年，李南书，高久诚主编

8、浙江摄影出版社，《中国民间瓷茶具图鉴》，2003 年，余钱程著

9、海南文宣阁出版社，《青铜古器》（上、下卷），2004 年，刘利民主编

10、四川大学出版社，《中国古玩辨伪》，1997 年，李发贵，李勇编著

11、上海科学普及出版社，《中华文物古玩鉴识》，1999 年，陈文平主编

12、北京出版社，《文玩保养与修复》，2000 年，贾文忠编著

13、科学出版社，《帝国的辉煌》，2002 年，吴永琪主编

14、汉语大词典出版社，《中国紫砂鉴赏与收藏》，2004 年，胡存喜著

15、湖南美术出版社，《2003 古董拍卖年鉴——杂项》，2003 年，古董拍卖年鉴编委会

16、湖南美术出版社，《2004 古董拍卖年鉴——杂项》，2004 年，古董拍卖年鉴编委会

17、中国民族摄影出版社，《中国明代瓷器鉴赏图录》，2002 年，熊建新，帅茨平编著

18、四川科学技术出版社，《茶文化与茶具》，2004 年，查俊峰，尹寒主编

19、天津古籍出版社，《中国古玩收藏与鉴赏全书》，2004 年，谢天宇主编

20、中国人口出版社，《家庭茶知识手册》，2004 年，余悦著

21、天津古籍出版社，《中国瓷器收藏与鉴赏全书》，2004 年，谢天宇主编

22、深圳摄影出版社，《紫砂茗壶》，2003 年，韩少启主编

23、浙江大学出版社，《茶具》，2003 年，胡小军著

24、天津古籍出版社，《中国玉器收藏与鉴赏全书》，2004 年，谢天宇主编

25、浙江摄影出版社，《茶具珍赏》，2004 年，吴光荣著

声　　明

　　本书在编写过程中，参考了国内外出版的许多与茶具相关的图片和文字资料，并引用了部分资料，在本书即将付梓之际，谨对相关的出版单位及作者表示诚挚的谢意。另外，由于客观条件的限制，本书中所引用的少部分图片，未能及时与作者取得联系，请相关作者见到此书后及时与本书编委会联系，以便我们办理赠送样书等事宜。谢谢！

　　联系邮箱：xywenhua@yahoo.com.cn